KB087773

LEE EUN HYE
SPECIAL EDITION

BLUE

이은혜

LEE EUN HYE

SPECIAL EDITION

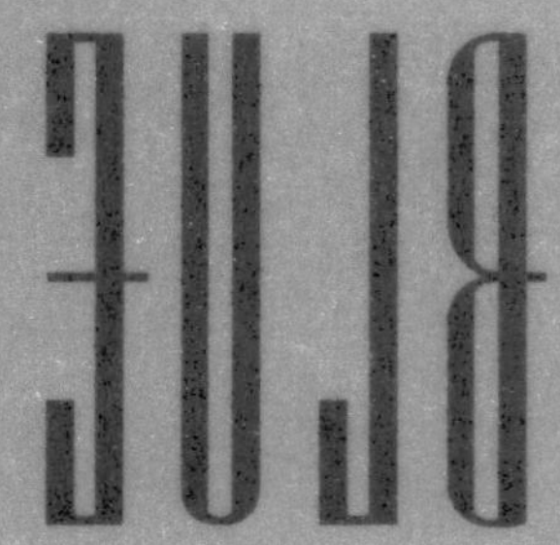

이은혜

JUNGLE
BROTHER
NEW ALBUM
AUDREY COHEN
SMHC
TINA
LOVE NEEDS

BLUE

LEE EUN HYE
SPECIAL EDITION
BLUE
2 이은혜
학산문화사

BLUE

BLUE FERVOR 하아미

유학시절부터 하윤만을 바라보던 그녀는
한국으로 돌아와 본격적인 사랑에 빠진다.
일과 사랑 모두에 열정적이며
성공한 여성 워너비로 동성들의 지지도 높다.
무남독녀로 집안의 반대에 부딪힌 유학을
이종사촌동생 준모의 지원사격으로
허가받은 날, 그의 오랜 첫사랑 고백을 받았다.
어른스럽고 여전히 각별한 그의 마음은
하윤과의 쓸쓸한 사랑에 큰 위로가 된다.

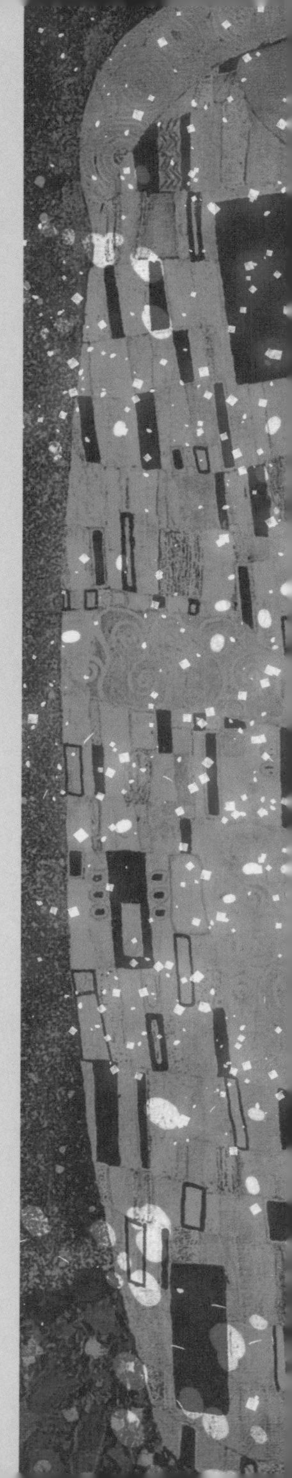

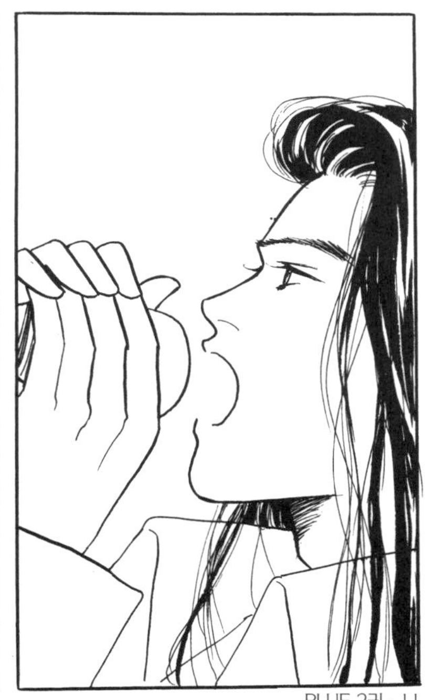

저 친구들입니까? ISM에서 스카우트했다는 ROCK 그룹.
비주얼뿐 아니라 사운드도 죽이네!
와~, 소름!!!! 진짜 끝내준다!
삐이

와
아
아
모두 흥겨워하고 있어요.

축하합니다!
압도적인 지지로
통과하겠군요!

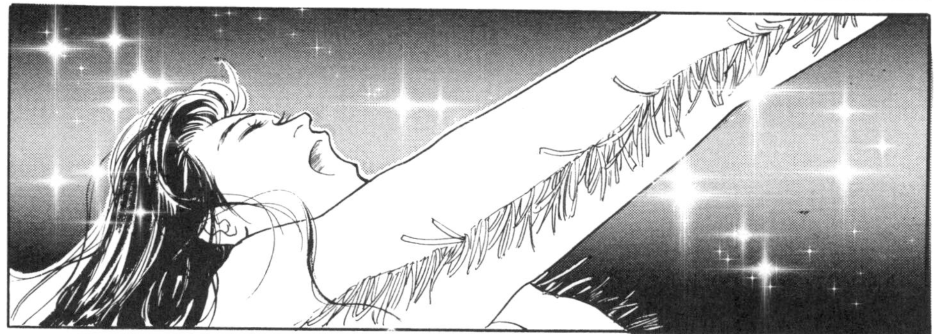

소원 이루시겠네!
송 차장님!

잠시 후
결과 발표가
있겠습니다.
모두 대기해
주십시오.
STAR
T·V
Rock in BLUE

너 바지
무사하냐?
하윤이
무리했다.

…….
으음…
괜찮네?

말도 안 돼요, 국장님!
납득할 사람 아무도
없을 거예요!

아마추어처럼
왜 이래, 송 차장?
구색 맞추기였던 거
정말 몰랐어?
뭐, 아무튼
여론 몰이는
해주었으니
데뷔 무대는
마련해줄게.
록 밴드에 인색한
타 방송에 비하면
로또잖아~.
언젠가
그들에게
사과하게
되실 거예요!
응.
아이돌 일당백
대항마로 키워 오면,
황제처럼
모셔줄게.
탁
탁
탁
탁
곧 발표가
있겠습니다.
자,
들어갑시다!
뻔한 결과를
들으려니
쑥스럽구만!

아,
송 차장님!
오! 매니저!

들어갈 필요
없어요.
미안해요.

탈락이야.

다녀왔습니다.
연우 왔니?

전화온 거 없어요?
아니.

기다리는 전화 있니?
아뇨….

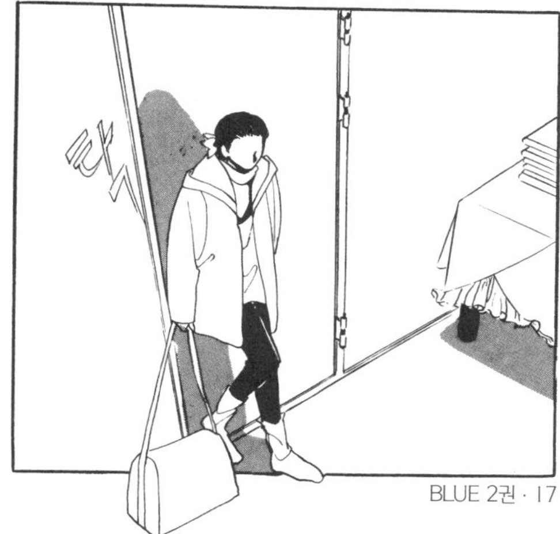

해준아….
내일 떠나는구나.
응.
준비 다 했어?
응.
배웅 나갈까? 공항에.
배웅은 무슨.

나… 좀
쉬어야겠어.
일찍 일어나야
하고.
아…,
미안해.
먼저 갈게.
해준아!
…….
…잘 다녀 와,
건강하구….

너도.
전화해….
전화해, 해준아….
결국엔 말하지 못했어.
그 짧은 말 한 마디가
어려워서….
달칵
연우야,
전화!
여보세요!
안녕.
지금…
내려올 수 있니?
집 앞이야.

탁 탁 탁
하아…!
그래….
녀석이 말한 대로야.
미쳐 있었다는 말이
어울릴 정도로
널 좋아했다.

그동안
결코 당당할 수 없는
집안 일 모두를 감춰온 것은
동정으로 관심을 모아
사랑을 얻고 싶지 않다는
사춘기적 자존심
때문이었어.
더 깊이는
이처럼 실패할 것을
예감하고 구실을
만들었는지도
모르지.

동정조차 수단이
될 수 없다면
더욱 비참해지지
않을까 하고.

미안해, 승표야.
나… 그동안
너무 이기적….
아니—.

승표야….

이제 다
끝난걸.

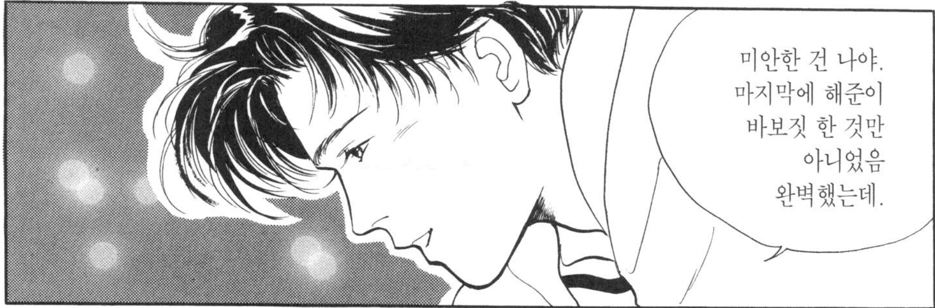
미안한 건 나야.
마지막에 해준이
바보짓 한 것만
아니었음
완벽했는데.

내가 어머님께
널 데려간 이유는
더 이상 게임을
지속할 수
없었기 때문이었어.
내 욕심이
더 커지면
너를 다치게
할 테니까….

힘겨운 속박에
날…, 아니,
너를 풀어주기로
한 거야.

채연우,
넌 자유다.
그동안 고마웠어.

안녕, 사랑아….
다시 만나는 날은
오직 우정을 담은
친구로 네 곁에
설 것이다.

좀 더 분발해.
이거 갖고 위험해.
네가 원하는 곳에 원서 쓰기 힘들 거다.

Sprite

더운데
그림이 되냐?
for you

와—, 덥다!
어느새 여름이군.
불볕더위
한차례 지나면
낙엽 지는 가을 올 테고,
그렇게 또 다시
겨울에 이르겠지.

면담했다며?

반을 넘었어.
지금까지 잘 참았는데
좀 더 못 견디겠어?
죄수생의
프리미엄이란 게 있잖아.
일 점도 아쉬워.
ENJOY SUN
PARTY

너 잘하고 있어.
곧 복수의 날이
올 거다.
과연 그럴까….

내가 슬픈 건
스스로 의심하는 모습을
문득 발견했을 때다.

한 번의 실수는
수만 번의 불신을 가져왔고,
반전의 마지막까지 의심을
떠나지 않는다는 것이다.

더 견딜 수 없는 것은
회복할 기회조차
얻기 어렵다는 것이다.

홍익 파이팅!
힘내세요,
선배님들!
합격!
J.T.A

수험번호 * 11224
이 름 신 현 빈

S대, H대는 안 된다.
이 턱걸이 점수로는
위험해.

더욱이
작년보다
5점 낮고
경쟁률은 더
심해졌다.

아직 실기가
남았습니다,
선생님.
…….

재수 하면서
견딜 만했니?
삼수 할 작정
미리 하고 있어?
고집 피울 단계가
못 된다.
작년보다 넌
더 떨어졌고 위험해.

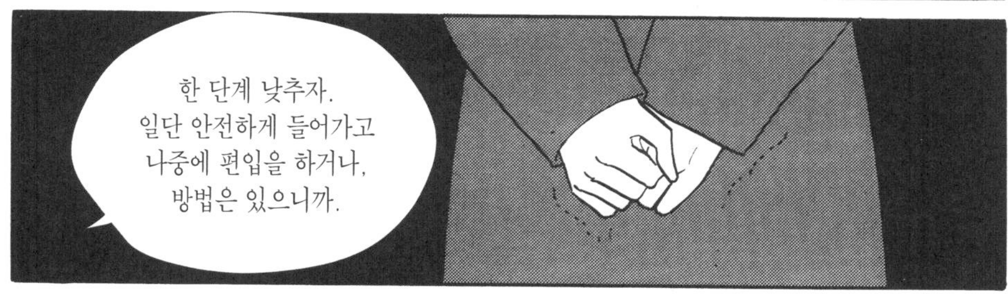
한 단계 낮추자.
일단 안전하게 들어가고
나중에 편입을 하거나,
방법은 있으니까.

아뇨.
이 시간까지
의심하며
여기까지 왔는데…
회복할 기회마저
빼앗지는 마세요.

현빈아…,
그 누구보다
널 아끼는 사람으로서
하는 말이다.
네가 또 다시
무릎 꿇는 것은 원치 않아.
그 긴 시간 속으로
다시 돌려보내고 싶지 않아.

이곳이 아니면
어느 곳도
가고 싶지
않아요!
제가 할 수 있는,
아니,
제가 갖고 싶은 꿈은
이곳에서
이룰 거라구요!

여기뿐이라구요!

…예….
번호는 11224 ….
예…, 예…?
…감사합니다.
달칵

현빈아!

따다다다닥
축하해!

고생했다! 정말!
정말 잘했어!

계집애, 너 혼 좀 나야 해!
수험번호도 안 가르쳐주고!

너희 집에
전화해보고 알았어.
너희 어머니
목소리가
떨리시더라.
너 합격했단 말
하시면서.

어휴~~.
어떻게
붙은 사람보다
주변 사람들이
더 난리지?

감격의 한 말씀!
지금 심정은
어떠신지요?

…….

야…, 지금 너
전혀 합격한 사람
얼굴이랄 수 없는 거
알고 있냐?
허무하다….

저 이름 한 줄 보려고
1년을 기다렸어.
왜 작년에
있어주지 않았을까?

기쁘다는
마음보다는
억울함이 더 커.
네 심정 조금은
알 것도 같아.

참 우습지.
측정할 수 없는
어떤 대상에게
이 분노를 몇 배로
갚아주겠다는
생각을 했어.

아, 전화 좀
하고 올게.
여기 달려오느라
알바점
연락 못했거든,
여기 구경하면서
잠깐 기다려.
응.

그곳 위험해요.
사고 많은 곳
돌계단 이끄럼에 주의할것!
특히 눈, 비 오는날 사고 많음
절대 경고함!
이쪽이
안전한데.

앞에 표지판 못 봤군요?
아….
사고 많은
돌계단 미끄럼에
특히, 눈, 비오는 날
절대경
일단 계단에서 좀 물러서는 게 좋겠어요.
눈 때문에 지금 서 있는 곳이 매우 위험하니까.
미끌
왓!
발밑 잘 보고 조심해서 움직여요!

무심코 내디뎠을 때는
이렇게 미끄러운 줄 몰랐다.
깨달음의 공포.
이런 작은 일 하나에도
가슴을 졸이게 돼.

이제 좀
안전하군요.
고맙습니다.

천만에요.

현빈아!

가자!
전화 고장이야!
다른 데로
가야겠어.

아...

야호—, 승표 군!
…….
표정 참…
썰렁하군.

Sorry!
쬐금 늦었어!
관대한 그대가
용서해라.
탁
포기한 줄
알았다.

멋진데!
저 남자 누구야?
아는 사람?
아니.

난 또…
그새 하나
엮었나 했지.

…….
하하하…
희비쌍곡선이로군.
합격, 불합격!
얼굴에 다 보인다.
쯔쯧—.

바로 앞에도
서 있네.
저 옆 친구
너무 설치는 거 아냐?
떨어진 친구 기분은
생각 않고.
못됐다!
쪼잔하긴!
아직 도망칠 궁리
하는 모양이네?
무대공간과
나는 전혀
어울리지 않아.
누님 말씀 들으면
자다가도 떡이
생긴다는 거 아냐!
까불지 말고
따라와!
혹시 또 알아?
기막힌 여자 친구라도
만난다거나.
이번 워크숍엔
강사진도 화려하지만,
수강생들도
다양하단 말이야!
신입생들 오는데 우리도
물갈이 해야지!
뭐, 여자로 꼬셔질
넌 아니지만.
어휴…
하여튼
새로운 공간을
또 하나 만나는 건
즐거운 거라구!

※특★출연! J.T.A의 휘경 재영 경아

뭐야, 일부러
져주기라도
하란 거야?

시시한데
우리끼리
나갈래,
승진 씨?

네 차례다.
어어…,
정말 가려는 거야,
너희들?

승진 씨!
다음에.

회장님
호출이십니다.
연결해
드리겠습니다.

승진이니?
예, 찾으셨습니까.

승표에게
연락하거라.
…알겠습니다.
큰어머니…
돌아가셨다.

아하하…

호호…

BLUE

밴드명 : BLUE
장르 : 하드 록
멤버 : 보컬 이하윤, 베이스 김영민,
기타 김상근, 드럼 웅조

스위스 로컬 밴드 카리스마의 보컬이었던
하윤과 JTA대학 밴드 베이스 김영민이
결성한 하드 록 밴드.
공연 흥을 돋우기 위한 커버곡으로
이름을 알렸지만 프로 데뷔부터
자작곡만을 발표하였다.
상반된 천재로 인정받는 두 사람의 겨루기는
앨범 차트 줄 세우기 흥행불패로 이어졌다.
해체설이 돌 만큼 거친 대화로 주변을
괴롭히지만 정작 두 사람은 서로의 재능을
깊이 신뢰하며 제멋대로 평화롭다.

콸 콸 콸
자!
준모 형!
또 한잔
받으시오~!

마음껏 떠드쇼! 언제 또 준모 형 꼬는 소리 듣겠수? 하하핫—.
너답다! 하다 못해 술잔 채우는 것까지 체격 값하네!

이제 준모 형 없는 그림터 무슨 재미로들 나올까?

너의 죄수생활 청산도 축하한다.
삼수 졸업 축하해, 준모 형!

현빈이 독기가 전염성인 게 확실해! 우리 반 재수생 열한 명의 전원 합격! 전무후무한 신화 창조다!
장학금 주지 않을까?
와~, 이거 놀라운데!

현빈이 원래 얼마나 재밌는데요. 모르셨군?
이제 좀 살 만하냐? 농담 따먹기도 하고.

놀부 사촌이 북극에서 온 줄 알았다. 얼마나 쌀쌀맞고 고집스러운지.
준모 형의 기준엔 그랬어? 뭐… 시각의 관점이 모두 다르니까.

아무리 다각의 시선으로 평가해도 현빈이가 욕심쟁이라는 건 같을걸?

너무 야박하게
굴지 말고 연락해라.
남자 친구 생기면
같이 데리고
나와도 좋아.
BLUE
그래. 준모 형
여자 친구도.
아…,
내 여자 친구
한번 볼래?
그렇잖아도
조만간 만날 건데.

내가 왜….
그새 말 바꾸네!

만나두면 좋을 거야. 전공 살리고, 실력 평가받고,
실질적인 대가도 있는 일을 연결해줄 수 있거든. 서로 돕는 거지, 뭐.
너도 계속 만나고….
고마워.

프흣—.

웃지 마. 마음 약해진다.

끝났다!
하아
야호!

끝났다구!
한 달 모자라는
일 년이었다!

퍽
끝날 것 같지 않은
시간이 정말
끝났단 말이다!!

퍽
이거
꿈 아니지?

고생들 했어!
형님도
수고 많으셨어요!!!

오셨어요?
하제 씨도요!
짝
짝

나는
친구 만나야 해.
요즘 두 달은
전화도 못했어.
난 잘 거야,
한 백 년쯤.
하윤이
같이 잘래?
오늘 같은 날
꺾지 않을 수 없지!
아줌마,
지갑은 두둑히
채워 오셨죠?
Leave me
alone~!

그보다 모두…
목욕들이나 좀
하는 게 어때?
킁…

순간 걱정되더라구.
너도 봤어야 해.
그 몰골들이라니! 하하하.
제 아무리 씻어도
과연 나아질까
의심이 될 정도였어.
아하하하.

모레부터 촬영
들어갈 텐데,
백조들로
만들 수 있겠어?
준비 완료!
촬영 첫날 공개하죠.
중간에 들여다보기
없기예요.

멋지게 해.
태양 방송 눈물나게.
그 할아버지들이 뽑는
문화의 기수들은
이쪽에서 거절이다.
제 생각은 달라요.
태양 방송은
꼭 나가야 해요.

물론 요청해 올
경우죠.
삐리리리리리리리

여보세요.
누님~,
준모올시다!

모레 약속
잊지 않으셨죠?
분명 합격주
산다고 했어.
어머! 모레였니?

이럴 줄 알았지.
그래서 언제
봅니까?
얼굴 잊겠수!
어떡하지?
미안! 모레부터
촬영 들어가는 게 있거든.
그 준비가 무척 많아.
누나가 우리 준모 실망시키네.
데이트 기대했을 텐데.

나쁜 누나다, 정말.
축하도 제대로 못하고.
용서해줘!
그날 시간 내는 건 좀
어려울 것 같아.
누이,
그 촬영 말이야.
내가 있으면
방해되나?
괜찮으면 그리
가도 되는데.

그럴래?
와주면 좋지!
모니터도 해주고.
합격주는 나중에
꼭 살게.
딴 말 없기다.
그날 또 잊으면
끝이야!

아, 그런데 누이!
한 사람
같이 갈지도 몰라.
누이랑 못된 곳만
닮은 꼴인 친구가 있거든.
소개는 만나서 하고,
그 장소나 말해봐.

제대로
온 거 같다.
어떻게
오셨습니까?
예…, 하아미 씨가
제 누이 되는데,
만나기로 했거든요.

저 방이에요.
메이크업
중이세요.
감사합니다.

이제
메이크업이면
촬영은 아직이란
말이잖아.

한참
걸리겠군.

미안합니다.
아,
아닙니다.

실례.

이 사람…,

BLUE야!
머리 모양이
바뀌었지만
알 수 있어.

뭐 해?
안 들어와?
가요.

오랜만입니다,
누이!
준모야!

아…,
함께 오겠다던
친구?
안녕하세요.
신현빈입니다.
반가워요!
두 사람
기다리고 있던
참이에요.
선생님,
여기 가방 다
내 갈까요?
우리가 할게.
미순 씨는
멤버들이나
챙겨줘요.
곧 출발한다고.
여기서
하는 게
아니었어?
Best
helper!
야외 촬영!
차로 3시간 쯤
걸리지.

그럼 언제
찍고 오냐?
이틀, 사흘…
더 걸릴 수도
있고.
외박은
곤란해,
현빈이는.
걱정 마.
방법은
여러 가지니까.

그나저나
초면부터 고생시켜
미안하네요,
현빈 씨.
아뇨,
재밌을 것
같은데요.
BLUE 멤버들
만나면 더
재밌을 거예요.
키만 큰
어른 아이들이라~.

주무세요,
어머니…?

다르릉

저 들어가요.

며칠
못 들어와요.

다녀오겠습니다.
아주
안 들어올 수도
있겠구나.

서류 한 장의 위력이
이토록 큰 줄 몰랐다.
낳고 기르지 않아도
아들이라니.

이름만
빌렸다 해도
어머니
셨습니다.
…….

어떻게!
내 앞에서 그 여자에게
어머니라는 말을
내뱉을 수
있는 거냐!
무엇 때문에
여기 있는 거야!
왜 내 앞에
서 있는 거냐!

아무에게나
부르는
이름 따위!

어머니!
닥쳐!

마지못해
사는 건 싫다.
다시 돌아오지
않아도 좋아.
가거라!

사랑스러운 후배들을 위해 학교에 남기로 했지!
살신성인의 정신이라고나 할까. 몸 바쳐 문예 부흥의 기틀을 세우려는….
감동했구나! 연우! 뭐 그렇다고 절까지 하고 그러냐?
으하하하하
히트다, 형! 사명감 넘치는 유급이라니!
어느 게 진짜예요? 학점 미달 졸업 펑크 소문과 지금 이야기.
어떤 놈이 저토록 예리하게!!!

안녕하세요,
윤수 오빠!
해준 오빠!
서경이 다들 알지?
이번 S대 무용과
새내기 됐어요.
우리 연습실 식구로
들어왔으니
잘 돌봐줘요.
라서경!
모를 리가 있나!
작년 D 콩쿠르
학생부 대상 따먹은
당돌한 아가씨!
기억하고
계실 줄
알았어요!
왼공주...
오우 예

그럼,
당연히 약속도
잊지 않으셨겠죠?
해준 오빠!
무엇이?!
어느새 어린 것과
약속을?
무슨
약속?

대학 합격하면
애인 돼준다는
말을 믿었냐?
해준이 오리발
특기다.

내가 졸업할 때까지
오빠 애인 없으면
서경이 거
되겠다고 했단
말이에요.
뭐어야아?
금시초문!
난 모른다!
아냐!
절대 아냐!
Why not?

한 마디만
해요!
이해준 씨!
뭐~얼?

오빠 지금
애인 있어요?
있다, 없다로만
대답할 것!

극비사항은 쉽게 말하는 거 아니야.
흐음….

와—, 연우까지 기억해?
저번 콩쿠르 때, 해준 오빠한테 꽃다발 주셨던 언니죠?
예…

물론이죠! 오빠한테 꽃을 준 분인데요.

세상에 둘도 없는 특별한 친구라네, 우리 연우는! 그런 세속적인 말로 오염시키지 마!
혹시… 그새 발전해 연인 사이라도 된 건가요?

됐어요! 그럼.
왜… 이러셔요?

악! 연우,
눈 감아!

짜식이, 무슨 뜻인지 알고나 하는 소리냐?
왜 몰라요? 라서경 표 이해준이란 거죠! 헤헤.

서경이가 도장 찍었으니까 이제부터 오빠는 제 거예요!

귀여운 탱크 같잖아? 떼쓰는 게 보기 흉하지 않을 정도야. 의도적인 작전이라면 보통 단수는 아냐.
오빠아~!
애야! 제발~~!
대단하다! 저돌적으로 밀어붙이는군. 요즘 애들 다 저러나?
이리하여 이해준 리스트에 또 한 명 오르네! 정말 타고났어!
하하하
그동안 찍혀보고 싶다더니 임자 만난 것 같네!
해준아….
너무 오랫동안 네가 아니야. 언제 널 다시 볼 수 있는 거니.

바쁘신데
와주셨군요.
언니가 기뻐하실
겁니다.
어머님
많이 상심해
계시죠?

형제들 중 제일
아끼셨으니까요.
정말
믿어지지 않아요.
이렇게 돌아올
줄이야.

아무리 병이 깊고
멀리 떨어져
한참을 못 보아도
살아 있다는 것만으로
좋았는데….
나오지
마세요.
예…,
그럼.
감히 어딜
들어오는
거야!

썩 나가지
못해!

…….

어쭈—,
이 자식이!
감히 뻣뻣하게
목을 세워?
건방진 놈!

무슨 짓이야!
형님이
부르셨습니까?
너무하신 거
아닙니까?
이 자식한테 상주 노릇
시키시려구요?

누님 마지막
떠나는 날까지
이놈 얼굴을 보여야
속 시원하시겠습니까?!
누님이 왜 타국에서
외롭게 사셔야
했는데요!
형님과 이놈 때문에
떠밀려서 그곳까지
간 겁니다!

세 모자가
한통속으로 내친
본처가 완벽하게
존재를 달리했으니
지금 얼마나
기쁘시겠습니까.
왜, 새주인도
함께 부르지
그러셨어요!

그만두지
못하겠나,
자네!
형부!
참으세요,
제발!

하아..

흐읍.
읍...

40분 늦었다, 원더우먼.
와하하—. 죄송해요! 글쎄, 차가 밀린 거 있죠!

그만큼 채우고 가면 되잖아요!
왓! 구세주 오셨네! 잘됐다. 16번에 레몬 하나 부탁해!
마! 후배만 아니었음 짤렸어

또 그녀 호출 왔어? 아예 개줄을 달지 그러냐!
히힛—. 다녀올게.

아무도 날 원하는 곳이 없어.
오늘 아침엔 어머니께 쫓겨났고, 또 한 분 어머니는 영원히 떠나가셨으니까.

모두가
날 싫어해.
삼촌…, 이모…,
승진 형…,
친구들….
그리고
소중한
사람까지도….
그만
마시는 게
좋겠다.
레몬 왔습…,
어! 승표야!
애 좀 봐,
맛이 갔잖아!
어떻게 된 거야?
너 왜 이래?
이 술 다 마신 거야?
어, 이런 날
반겨주는
친구가 있었네.
야! 홍승표!
정신 차려!
스르

찰칵

찰칵
좋아, 좋아.
잠시 그대로~!!
찰칵

고개를 좀 더 아래로 숙여봐요.
찰칵
아니, 너무 숙였다. 약간 위로.
찰칵
OK!
위로 천천히 움직여요. 계속—.

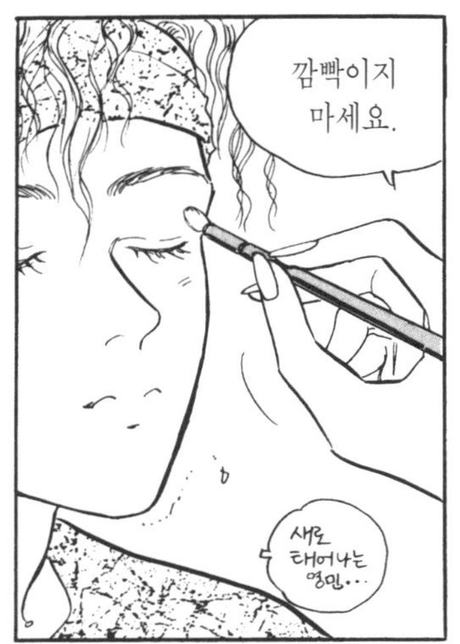
깜빡이지 마세요.
새로 태어나는 영민…

브라운을 좀 더 입혀야겠다. 왼쪽.
이 정도요?

현빈 씨, 이것 좀 들어줄래요?
예.

봐, 눈썹 끝에 맞춰서 해야지.
아…

어이! 이봐요, 재킷!

예….
1박 확실하죠.
그러세요.

송 선배였어요?
저녁 때 오신대죠?
응.

저 친구들,
코디 일행
아니야?
준모? 아니야,
나 보러 왔어요.
저 아가씨는
준모 후배.

이번에 둘다
J대 합격했어요.
송 선배 오면 넷이
동문회 할지도 모르겠다.
후배 챙기는 건
끔찍하거든.

이상하네. 자동응답기라도 켜질 텐데.
고장이라니까 그러네.
갯벌 회집
탕
고장
전화를 떼어버리든지 해야지, 원! 에이, 귀찮아.
다른 전화는 없나요?
우리 집엔 그것뿐이오.
이거 필요해요?

아까
미안했어요.
괜찮습니다.

책임을 다하지 않은
일행으로 착각했어요.

…….

열 동네잖아~.
가는 길에 떡볶이
먹고 놀아요~, 응?
해준 오빠아~!
징징징!
와~, 돌겠네!
글쎄,
집에 간다는데
왜 따라오냐고!
선배들한테
찍히기 전에
들어가라.
죽는다~.
오빠아~!!
JAZZ
라서경! 이게 미쳤나~.
연습실 청소
1학년 몫인 거 몰라?
당장 걸레 들고
안 뛰어가?!!!
그럼 수고~.
오빠!
기다려야 해요,
금방 갈 테니까.
응? 꼭!

기다려, 연우야!
친구가
곤란을 겪는데
혼자 내빼냐?
치사하게!
너희 두 사람
데이트 하는 거
아니었어?
악담 하냐?
누가 저런
어리광쟁이
꼬마랑.
데이트 얘기는
네가 먼저
꺼냈잖아.
마! 그건
농담이었어.
하도 매달리니까
일단 떼어놓으려고.
그런 식으로 말하면
그 애는 두 배로
상처 입는 거야.
너의 임기응변에
익숙하지 못하니까.
나 먼저 갈게.

거기 서.

너 정말이지?
내일 봐.
JAZZ

좋았어.

탁

함께 간다고
할 때까지
거리에서
춤을 추겠어!
SHALL WE
DANCE?
해준아~
뭐야?
뭐 하는 거야?
퍼포먼스냐?
와—, 잘 춘다!
깜짝 비디오
찍는 건가?

요새
개그맨들은
춤도 잘 춰!
항복하세요,
아가씨.
못 보던
얼굴들인데?
신인들인가 봐.
제발 그만해!

이거
언제 TV에
나와요?
해준아—.
감사합니다,
여러분!
짝
짝
짝
짝
짝
카메라가
어디 숨었는데?
와~!!!
더 해라!!!

연우야!

어쩌면 넌
그대로인지도 몰라.
여전히 어깨를 기대고
자연스럽게 장난을 치고.

하지만…
내 마음은 왜 이리 먼 걸까.

해준아, 난…
자신이 없어져.
도망칠 용기라도 있으면
좋겠어.

여긴….

새벽 공기가
아주 좋아.
머리가 개운해질 거다.
아….

커피
마실래?
응.

고마워…,
형.

후…

하아…
여기까지…
이제
무력한 가슴의 문을
닫기로 하자.

극복과 굴복의 시소놀이,

너절한 변명과 속죄,

마침 없는 서툰 다짐의 반복,

고독한 눈물을
멈추기로 하자.

망각보다
그리움이 먼저 온다 해도
나 이제 맹세로써
서러움과 한숨에 마침을 고한다.

다시 없을 내 마지막 눈물로
이 모든 슬픔을
위로할 것이다.

그래,
나 이제 맹세하니—
다시는
고개 숙이지 않겠다.

무모한 열정을 낭비한
철부지 유년과는
진정으로 결별이다.

BLUE

그녀의 동화
[BLUE OST Vol.1 승표 Theme]

태양을 바라보며 하루하루 꽃으로 변해가도
사랑만 얻는다면 가진 모든 것을 잃어도 좋아.

동화 속의 소녀를 닮은 그대.
다시 읽을 수 없는 짧은 동화로 끝난다 해도
마지막 줄에 쓰겠죠.

너를 정말 사랑해.

못해.
도저히 시간이 없다.
그림터 알바는
절대 못 빠져!!!
내 포트폴리오까지
너희가 내주든가~.

우리도 다
스케줄 조정했어~.
미리 보충하고
무조건 시간 내 !

좀 봐주라!
나 쫓겨나면
용돈 책임질 거야?
짜식들이….
혼자 바쁜 척할래?
여기 바쁘지 않은 사람
누가 있어?

정말~!
준모 형 엄살 심하네!
닷새 중 이틀은
현빈이가 조교 봐주는 거
알고 있구만.
야! 신현빈!
얘기하지
말랬잖아!
현빈이 쪼지 마!
그림터 갔다가
학생들한테
들은 거니까.

이래 가지고 어디
팀 작업 하겠어?
Summer 워크숍 신청
그만둬야겠네.
아니면
준모 형만
빼든가.
봐줘라.
중간고사도
리포트로 때워야
한다잖아.
쾅!

가는 귀가 먹었냐? 돌머리냐? 몇 번을 아니라고 해야 알아듣겠어?
忍!
정말 너희들 친자매 아냐? 생김새도 그렇지만 심보가 완전 똑같아.
이런 말까지는 안 하려고 했는데, 너희들 부모님께서 차마 말씀하지 못한 비화가 있는 게 아닐까? 그렇지 않고서야 어찌 그리….
사람 살려!
제삿날 정하자, 양준모!
게 서지 못해?!

준모 형!
괜찮으세요?
우~, 와일드한 출연인데, 홍승표?
과연 제 시간에 왔구나! 기다리고 있었다.

홍승표 군,
나와 같은 예술학과
2학년이야.
저번 영상 작업 때
히트 친 카피 문구 있지?
이 친구가 쓴 거야.
그리고 이쪽은
BLUE 앨범 Art 해주고
주가 올린 친구들!
그래서 워크숍에
끼워 넣었지!
핫핫핫.

근데 제대로
대가를 받았는가는
밝히지 않았거든?
아무래도 저녁 한 끼로
땡친 것 같단 말이야.
하하하—.

저도 반갑습니다.
은경이에게 하도
말을 들어서 오래 만난
친구들 같아요.
카피라이터까지
합류했으니
이번 작업은
성공이겠는데!
반가워요!
무엇보다
남자가 늘어서
기쁘다, 난.

언제…
만난 적
있었나요?
낯이 익은데.
저도 좀…
그런 느낌이
들어요.

와~,
새 역사 하나
창조되는 거냐?
뭐야, 두 사람!
첫눈에
불꽃 튀는 거야?

카메라 세팅 끝났어요. 촬영 들어갑시다.
그건 힘들겠는데요. 곧바로 팬클럽 인터뷰 가야 해요. 첫 만남이거든요.
촬영 끝나고 스케줄 없으면 PIZZA HILL 회식 갈까?
상근아, 얼굴 펴라. J대 축제 밀어줄게. 안 되면 방송 펑크 내자구!
하윤, 모교를 포기하고라도 가야겠다.
LUCKY MAN 권상근!
이렇게 많은 큐피드는 본 적이 없어. 네 소원을 이룰 거다.

코디 언니시죠?
사진보다
더 예뻐요!
조금만 기다리세요.
잡지 촬영 끝나는 대로
오기로 했으니까.
어머, 고마워요.
오빠들 스타일
언니가 다 바꾸신
거라면서요?

BLUE ROCK
지금도 멋지지만
옛날도 멋지던데요,
하윤 오빠 머리!
잡지에서 봤어요.
데뷔 전후
비교 사진 실린 거.
난 긴 머리가
아까워요.
옛날이 더
나은 것 같아.

하하 하하
난, 아무 말도
못할 거야,
기절할지도 몰라.
우~, 근데
너무 떨려요!
실제로
만난다는 게.
하하
지금처럼
얘기하면 돼요.
착하고 재밌는
사람들이니까.

아, 신영 씨.
현빈 씨는
안 왔어요?
아직 학교거든요,
지금 출발한다고.
거기서 오려면
너무 늦겠다.
퇴근 러시에
걸리잖아.
신영 언니군요!
현빈 언니랑
앨범 ART 하셨죠?
현빈 언니
미인이라
면서요?
근데
언니랑 상근 오빠
소문 진짜예요?
와~,
천하의 현빈이
시간 착오를~.
지금 도로는 거의
주차장 수준이여~.
약속 시간 안에
못 간다고.
교통정체는
응급차도 뚫기
힘들어요~.

형, 알바나
늦지 마.
이크!
내 코가
석자였군!
나 간다!

너무 기다리게 하지 말고
못 간다고 전화해!
그게 낫다.

끄응…
…….

부다다다다…
으아아~~~.
멍청해! 신현빈!
약속은 신용이야!
러시아워까지
계산했어야지!

다당다다
무슨 일이에요? 괜찮아요?
아…,

약속 펑크를 내려는 참이에요. 자동차 물결을 헤쳐 갈 재주가 없거든요.

이것은 1m 안쪽의 공간만 유지되면 어디든 통과하죠.
…….

두 달 남짓 운전 실력에 다른 사람 태워본 적 없는 걸 문제 삼지 않는다면 동승해도 좋아요.

설마…
떨어지기야
하려고요.
정말
그런 폼으로
무사할
자신 있어요?

예.
준비된
거예요?

휘청!
좋아요!
미리 경고했으니
난 책임 없어요.
부앙

끼야아아

일어들 나시죠,
꿈꾸는 인형들.
어…,
다 왔어?

다
다앙
다앙
다앙
그냥 잤으면 좋겠다.
인터뷰고 뭐고.
…어?

제대로 온 거
같은데요.
…….

안 내려요?

정신 차려요,
다 왔어요.

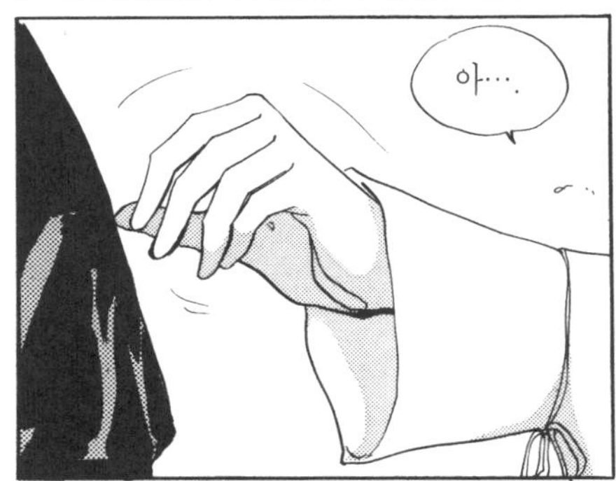
아….

미안해요, 정말.
제정신이
아닌가 봐요.

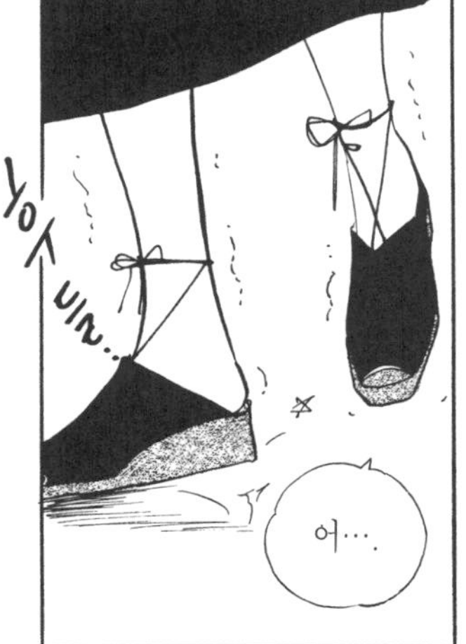
어….

괜찮아요?
온몸에 기운이
다 빠져나간 것
같아요.

현빈 씨!

어떻게 왔네요?
신영이 말로는
늦거나
못 올 거라더니.
안녕하셨어요.

갈게요!

아, 저….

바보 자식, 현빈 씨같이 능력 있는 여자가 여태 혼자일 거라 생각했냐? 그쵸, 현빈 씨?
와우~, 멋진 친구! 대체 몇 명이나 더 숨겨뒀어요? 우리 순서는 오지도 않겠네?
예…?
아!
들어가자.

이번 주 3위는
록 밴드 BLUE입니다!
데뷔 두 달 만에
새로운 Rock의
열풍을 몰고 온 BLUE!
다 같이 카리스마에
빠져볼까요?!
으하하핫
짜식들! 소싯적
내 모습 같군.

아저씨, 볼륨이
너무 크네요.
어어…, 그랬어?
Sorry!
오늘 연습
다 끝났나?
콕

BLUE 노래 좋죠?
해준이 이번 안무
이미지랑 맞는다구
BG로 쓸 거래요.
와~,
짜릿하겠는데!

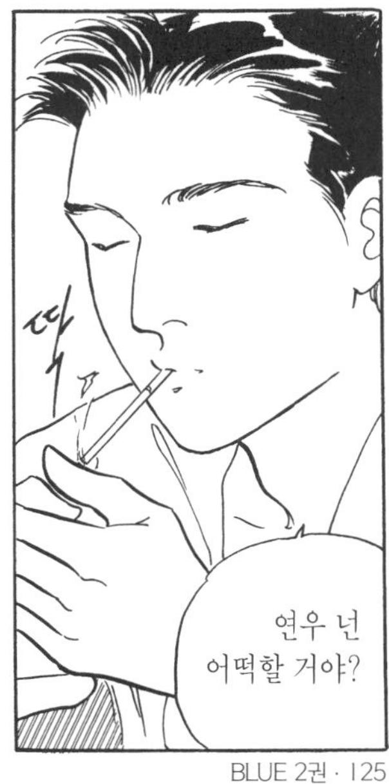
딱
연우 넌
어떡할 거야?

안 하는 게
아니라
못하는 거예요.
콩쿠르 참가
안 할 거냐고.

네 춤이 어때서?
해준이는 몇 번이나
출전하는데
아무렇지 않아?

내 실력으로는
무리….
프로 데뷔 같은
꿈 없어?
도전해보겠다는
생각 안 해봤나?
단 한 번도?

난 네가 해준이 뒤에서
그만 나왔으면 좋겠다.
댄서로서만이라도.

오늘 일
애들한테 얘기하면
난리날 거예요!
빨리
여름이 왔으면 좋겠어요.
팬클럽 MT랑
Summer 콘서트
정말 기대돼요!

비상구
곧 중심으로 이사 가야죠~. 아직은 가난해서 그러니까.
근데, 여기 올 때 너무 불편해요. 지하철도 없고, 버스 내려 한참 걷고, 우리 처지에 택시 타기도 어렵고~!
친구들한테 BLUE 앨범 많이 사라고 해요. 그게 지름길!
하하하.

흑흑, 소문이 사실이었어!
두 사람만 좋은 토요일이네! 심야영화도 보고, 부럽다!
그럼 저희 먼저 갈게요.

현빈 씨는 이 친구들과 하윤이 차 타고 가요.
응.
현빈아, 이따 전화할게.
오잉?

자! 지하철 역까지 모십니다. 타시죠.
어머! 정말요?
끝까지 감격시키시네요! 정말~. 흑흑 ….

사실은요, 하윤 오빠, 화면으로는 너무 차고 어려운 분위기여서 무척 걱정했거든요.
근데 이렇게 친절하고 상냥하실 줄 몰랐어요.
너무 멋지고 근사해요. 최고예요!

괜찮은데? 택시 값으로 하는 말이라도.
아니에요~, 진심이란 말이에요.

하하하—.

의외인데….

고맙습니다,
오빠!
조심해서들 가요.
열심히 하세요!
건강하시구요!
오늘 너무너무
감사했습니다!

언니, 전화 자주
드려도 되지요?
언니는
안 내리세요?

아뇨,
나도 여기서
내릴 거예요.
신촌 방향이면…,

근처에서
내려줄 수
있어요.

괜찮….
벨트 매요.

…….

으으윽~. 불길하다! 둘만 타고 간단 말이야? 너무 위험해!
어? 현빈 언니 그냥 타고 가네?
안 되겠다, 철저히 감시하자! 적은 가까운 데 있다더니!

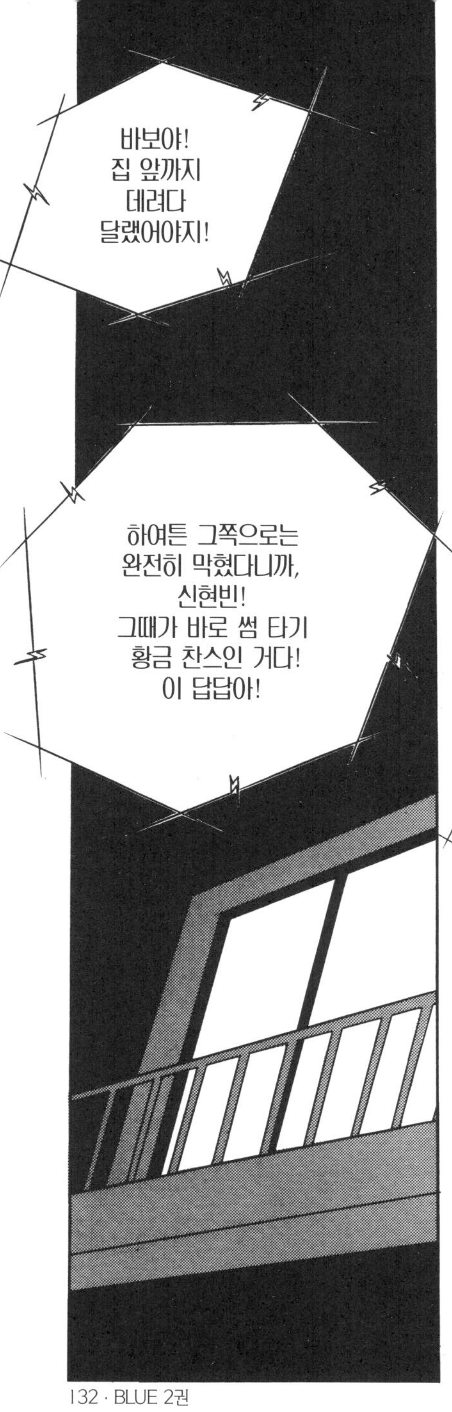
바보야!
집 앞까지
데려다
달랬어야지!
하여튼 그쪽으로는
완전히 막혔다니까,
신현빈!
그때가 바로 썸 타기
황금 찬스인 거다!
이 답답아!

어휴~, 그만해.
그런 찬스 관심 없으니까.
그나저나 넌 어땠어?
영화 재미있었어?
네 얘기나
계속 해봐.
오면서 무슨
얘기했니?

무슨 얘기?
한 시간
가까이 오면서
아무 말도
안 했단 말이야?
응.
특별히 할 얘기도
없고 뭐….

정말 썰렁하다.
눈만 껌뻑대며
그냥 왔다는
말이야?
썰렁… 릴레함메르 … 릴레함메르 …
푸하하하
애가….

어쨌거나
잘나가는 신현빈!
승표의 오토바이 건도 그렇고….
아 참, 어땠어?
남자 허리에 꽉 매달려본
기분 말이야.
너 처음이잖니, 그런 거….
강신영…,
그만 자자!
날 밝는 대로 승표한테
전화라도 해줘라, 너.
고맙단 말도 못했다며?
기숙사 전화번호
은경이가 아니까….

됐어…, 내가
알아서 할게.
잘 자…, 응.

홍승표요?
샤워실….
아, 잠깐만요.
탁
어이!
홍승표,
전화!
저요?

여인이네~,
목소리 죽여!

안녕하세요,
신현빈입니다.
아…, 예! 안녕하세요.

어제 고맙다는 말씀도
못 드렸지요?
죄송해요.
정말 고마웠어요.
뭘요.
월요일 점심
제가 사고 싶은데요,
괜찮으시다면
1시 30분 쯤에
프로방스 어때요?
대접 받을
정도 아닌데.
좋아요,
그러죠.
예….
기분이 좋구나?

언제 왔어?
이건…, 짐작이 갈 만한 표정인데.

확실해. 내 심장까지 울리는 걸 보면, 원인 제공원은…
WOMAN!

야아~, 짜식! 너! 진짜구나!
역시 이해준이다!
하 하 하

연우야아~~!
뉴스!
왕 뉴스!
연우도
왔구나.

오랜만이지,
승표야.

해준이 뻥튀기
알잖아.
정말?
너무 오랜만이지!
승표 녀석, 그새 사건이
많았던 걸 보면 말이야.
와아~, 드디어 걸렸어!
Falling in Love!

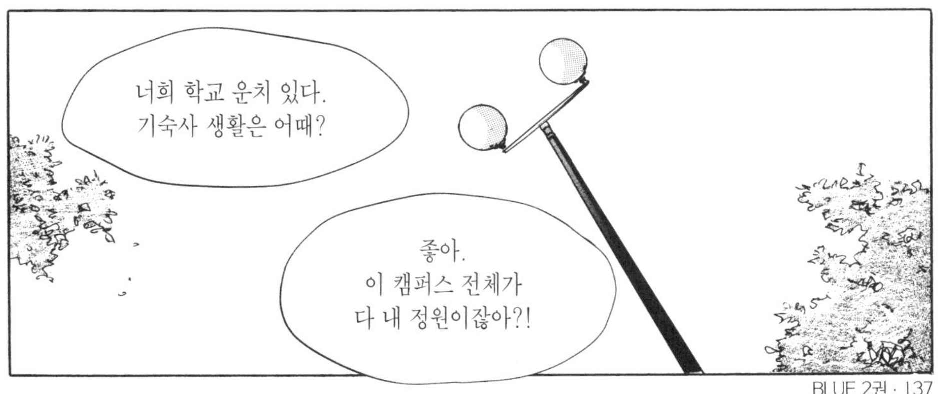
너희 학교 운치 있다.
기숙사 생활은 어때?
좋아.
이 캠퍼스 전체가
다 내 정원이잖아?!

처음으로 오토바이에
사람을 태워봤어.
최고 속도 기록했다.
여자를 태우니까
확실히 더 잘 나가는 듯한.
와….
승표야,
정말이구나!
하하하.
뒷말은 농담!

이상하지?
아무 의미도 없었는데
자꾸 말이 되니까
뭔가 구체화되는
느낌이 들어.
그리고 사실
아까 전화 받을 때
가슴에서 찌릿하는
소리가 났거든.
샴페인 거품처럼.

행복해 보여, 승표야.

어이! 같이 행복하자구!
여기까지 와서 은경이 안 보고 갈 수 있나!
잘했어. 그렇잖아도 부르려던 참이었어.

알아냈어! 승표 비너스! 신현빈! 시디과 1학년! 우리하고 동갑!
게다가 BLUE와도 연관 있어! 뭔가 통해! 확실한 이 느낌!

그리고 최초의 오토바이 동승자!
흑흑…. 내가 그렇게 애걸해도 거절하던 녀석이 그랬다지 뭐냐!
와

은경, 내 부탁 잊지 마!
무슨 꿍꿍이들이야?
너도 약속 잊지 마!

색광에 의한
병치가법 혼색을 이용한
대표적 예로는
컬러 TV의 화상을
들 수 있다.
가법 혼색은
색광이 겹치면 겹칠수록
밝게 되기 때문에
가산 혼색이라고도 한다.
만들어진 색은
가시 스펙트럼의
방사 에너지 합이다.

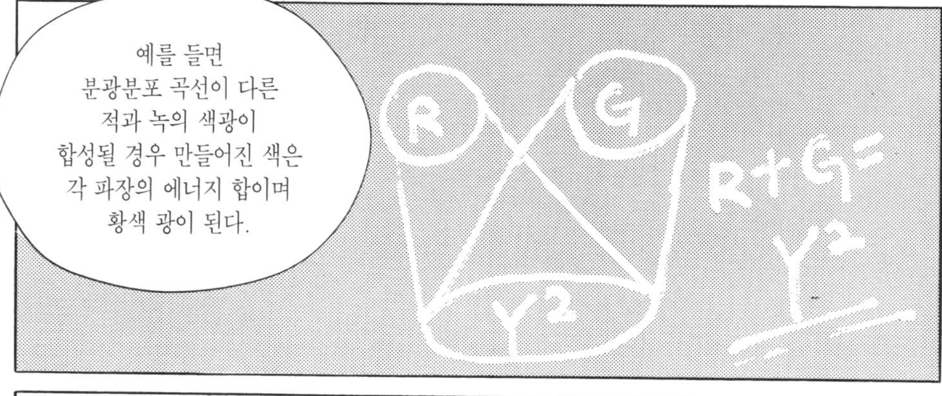
예를 들면
분광분포 곡선이 다른
적과 녹의 색광이
합성될 경우 만들어진 색은
각 파장의 에너지 합이며
황색 광이 된다.
R
G
Y2
R+G=
Y2

어떻게
Red+Green이
Yellow?
머리 복잡하다.
우우우웅~~.
환상적이야!
마술같지?

실례합니다,
교수님.
댁에서
급한 전화가
와 있다고
과사무실로
연락이….
죄송합니다.
그래?
드디어
낳았나?
꾸벅
뭐야?
잠시
실례하겠습니다.
누구지?

......

......

신현빈?

뭐…죠?
축하해요.

오랫동안 기다렸어요,
나타나기만을.

우우~~, 프러포즈냐?
와~, 이거 잠 깬다!
부럽다, 신현빈~!

또 뵐게요.
웃기는 놈이잖아, 저거?
여보세요!

저 녀석!
인마! 거기 안 서!
으악! 빨리도 오셨네!
여보세요!
어…? 없다…
인마!
하아
화…, 그놈! 날쌘 닭같군!
넌 왜 그래? 갑자기 왜 꽃을 들고 뛰어다녀?
헉
아뇨…, 저….
퍼펙트!

교수님 추천,
사실 말씀드리는 것조차
폐가 될까 봐 망설이다
용기를 내보기로 했어요.
이번 콩쿠르,
도전하고 싶어요.

지금 내가
잘못 들은 건
아니겠지?
역시…
무리인 건가.
죄송해요.
제 욕심이
컸나 봐요.

탁!
워밍업이
너무 길었다는
생각 안 드니?

녀석아! 얼마나
기다렸는지 알아?
너라면 몇 번이고
추천해줬어.
예?
교수님….
장하다, 채연우!
대단한 변혁이야!
네 성격에
정말 큰 용기가
필요했을 텐데!
이런!
내 가슴이 다
설레는데!!
변혁!
제대로 해보자!
완전히 다른
모습으로.
감사합니다,
교수님….
콩쿠르가 제게
얼마나 큰 의미인지
모르실 거예요.
출전 결심만으로도
벅찼는걸요.

안녕하세요!
강의가 좀 일찍 끝났거든요.
어머! 먼저 와 계셨네요. 아직 5분 전, 제가 먼저올 줄 알았는데….

저희도요.
정말입니까?
과연 그랬을까?
우연일까?
운명일까?
어…, 여기
웬일들이야?
안녕들 하세요.
어머나~,
현빈이랑 승표 씨잖아!
약속 없이 마주치니
더 반갑다, 야!
같이 합석할까?
우리 멤버 아니냐,
멤버!
대단한
연기력들이야…
닭들……
그…,
그러지 뭐.
넓은 데로
옮기죠.

뭐…
그냥 헤어지는 것도
그러니까
점심이나 하고
일어나자,
우리 셋은.
그래!
그래!
와~,
그 꽃은 뭐야?
승표가
예쁜 짓
한 거냐?
아…, 이거.
아까 황당한 일
있었어.
이렇게
생긴 녀석이
교수님 속이고
들어와서
주고 갔단다.
아주 깨는
녀석이더만.
이렇게 생긴
녀석이
틀림없어?

와~, 자식!
정말 갔었네!
응!
너 아는 애냐?

해준이?

친구 팔아서
시집갈
애라고.
미안해! 미안해!
나 믿지 말라고
했잖아! 흐흑흑….
은경아….

아주 멋진 녀석이죠.
뉴스 메이커이고,
뭐든 원하는 것을
가질 수 있는 자신감과
받쳐주는 재능 또한
뛰어난 친구예요.

아주 오랜
친구인가 봐요?
초등 때부터 줄곧
같은 학교를 다녔어요.
바이오리듬이 비슷해서
마음을 읽기도 하죠.
서로
모르는 척
하지만.
그 비슷한
기분 알아요.
난 비참한 상황에서
많이 느꼈죠.
죽을 것 같았던
재수 시절에
두 번째로
힘들었던 게
그거였어요.
실패의 자학보다
친구들과의
감정 읽기가 더
고통스러울 때도
많았으니까.

탁
탁
탁
퐁…

와! 다섯 번이나 튀었어요. 난 한 번도 안 되던데.
해준이는 일곱 번 넘게도 하는 걸요! 뭐든 튀는 녀석이죠.

축제 때 해준이 춤 따내려고 현빈 씨 스케줄 표랑 맞바꿨잖아요?
전공인 춤은 어떻겠어요? 거의들 뒤로 넘어가죠. 자칭 남자에 관한 무쇠여인 은경이 봐요.
궁금하네요, 어떤 춤인지. 아까의 황당함 때문에 상상이 안 돼요.

벌써부터
위험한데요.
예?
무슨….

와…, 멋진데!
이 사람 누구예요?
록 밴드 보컬이에요.
요즘 자주 나오는데
못 들어보셨어요?
BLUE라고.

아…, 그 목소리가
이 사람이에요?
고음이 매우
처절해서
인상적이었거든요.
여름 콘서트
포스터를
시안 중이라
온갖 사진을
다 보고 있어요.

이 마스크면
뭘 걸어도
작품
나오겠는데요.
작업하다 보면
정말 그래요. 너무 예뻐요.
정면과 측면 모두
완벽해요.
아―, 갈수록
높아지는 벽―.
예?
하
하
아니에요.

너무 긴 거 아냐?
첫 데이트는
아쉬움을 남겨야
좋은데.
또 오셨군요.
그새 안녕!
작정했구나,
모두.

미워하지 마.
아까 씌운 게
미안해서 왔다.
빚 갚으려고.

원, 투, 스리에서
눕히고 슬로우—
멈추고!
흐음~,
이거였구나.
해준 오빠
스타일이야!

해준아,
전화!
연우예요?

아니,
생소한
목소리인데.

이 짜식,
어떻게 된 거야?
레슨도 까먹고.
…….

서경이 변했구나.
콩쿠르 안무
공개 안 하는
주의였잖아.
오해 마세요.
진짜는 따로
있다구요.
조심해라.
그러다 해준이
춤 카피하겠다.
걱정 마세요.
라서경화
할 것만 고르고
있으니까.
아! 어떻게 됐어?
OK !
열 배로 갚을게.
응…, 어디?
모를 리가 있나!
내 제3의 놀이터.
오냐!
곧 갈게!

해준 오빠, 소문하고
많이 다르네요?
난 솔직히
플레이 보이란
소리 때문에
관심 가진 건데.
잘됐네.
이제라도
관심 끊어라.
분위기 따라
어울리는 파트너
대동한다며!
왜 서경이는
기회 안 줘요?
까불래?

오빠~~!
나랑 좀 놀아주라!
말 잘 들었잖아요.
곤란하게 안 할게.
응? 응?
엉
엉
엉
얌마ㅇ..

으악~! 뭐야?
춤이야
발작이야?
오우 예!
예! 예!
어?
은경인 어디 갔어?
내 앞에서 추고
있었는데?
밑에 살펴봐.
준모 형 휘젓는 데
맞고 쓰러졌을지도
모르니까.
!!!

뭐 해?
여기 있었어?
아…,
해준이
온다고….

아, 해준아!
여기.

해준아.

여ㅡ, 승표야!
분위기
좋았다며!
너…,

안녕하세요 !
인사해, 무용실 후배.
라서경이에요.

어떤 분인가 궁금했어요. 세상에서 제일 사랑하는 친구라고 해서 꼭 뵙고 싶었거든요.

라서경? 마녀 딸…, 읍!
하 하 하….
…….

춤추자! 춤! 서경아! 은경아! 너도 나와, 승표야!

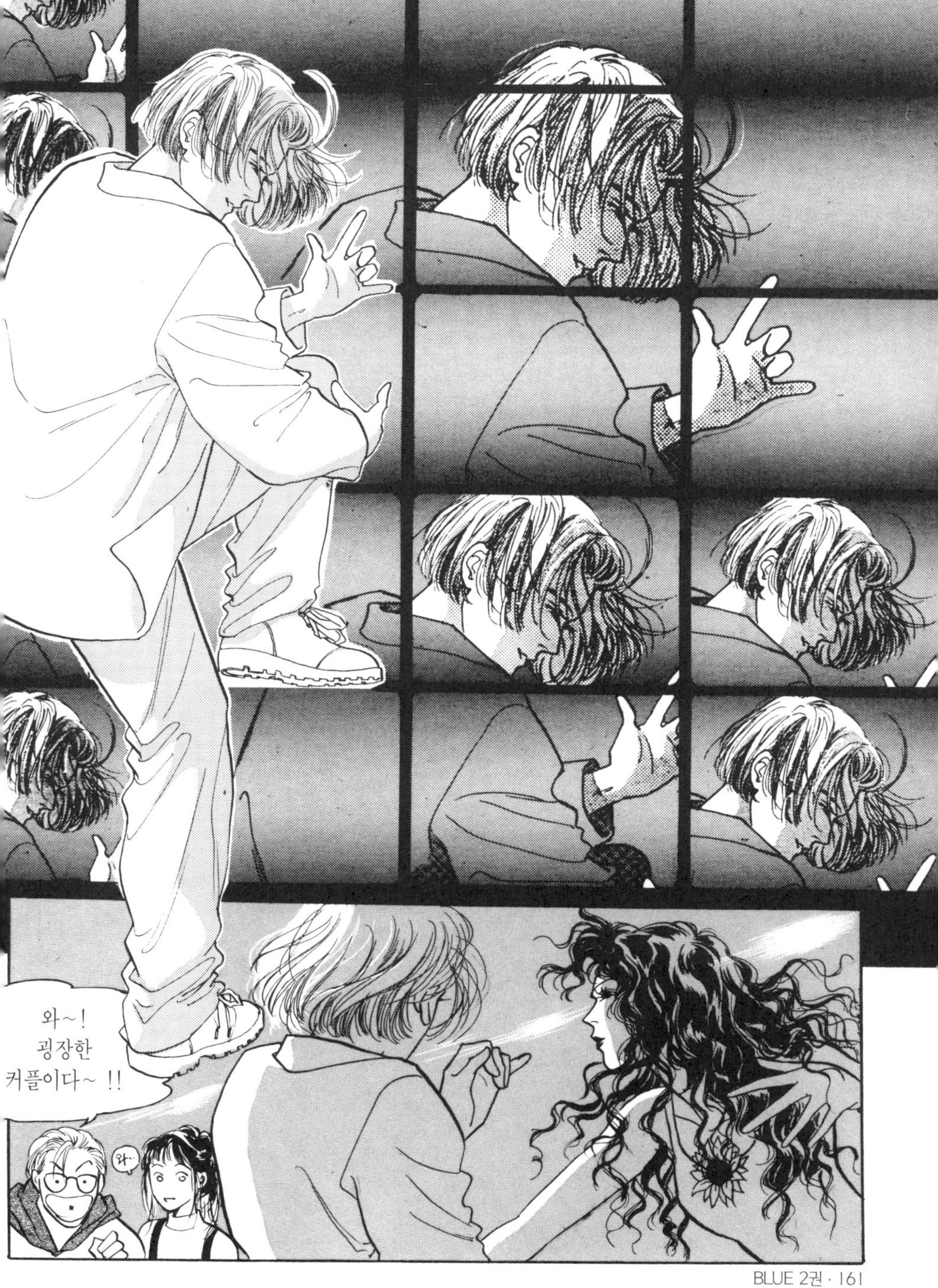
와~!
굉장한
커플이다~ !!
와…

대단합니다!
밥 먹고 춤만 추는
사람들은 역시 달라!
안녕하세요.
또 뵐 거라고
했었죠?
흔들린다.
상근 오빠,
나 좀 잡아줘.

나와.
승표야,
주인공이
앉아 있으면 돼?
…….

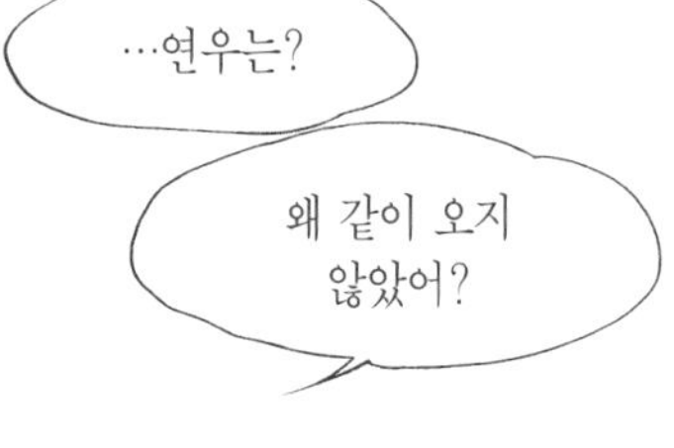
…연우는?
왜 같이 오지
않았어?

BLUE

BLUE

달의 눈물
[BLUE OST Vol.1 하윤 Theme]

너를 한 번쯤 볼 수 있을까.
아직 사랑한다 말해주고 싶은데.

잡히지 않는 나의 꿈이었지.
네겐 영원히 닿을 수 없어.
그저 보내야 했어.

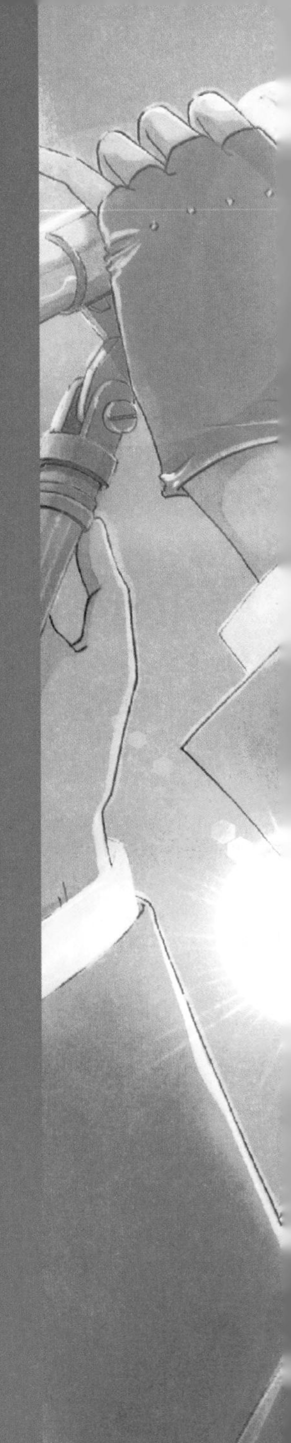

승표야….

미안해.
너무 늦은
시간이지?

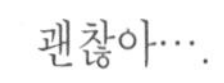
괜찮아….

보고 싶었어,
갑자기.
걱정 마, 바보야.
줄 잘 긋고
있으니까.
좀 가까이 와,
연우야….
너무 멀어.
마음까지
멀어진 거 같아
아프다.
그 모자도
좀 벗어.
얼굴이
보이질 않아.
……
연우야!

전화하려고 했어.
할 애기가
있었거든….
너의 바람 같은 목소리는
아직도 나의 숲을 지난다.
이젠 안녕이라고 했어도,
흔들리는 것은
의지가 아니라 하면서도 ….

도대체 뭐 했던 거야? 기사 하나 제대로 못 쓰면서 무슨 기자야!
MUSE
마감!!
BLUE I
30분 이내로 넘기지 않으면 안 돼요! 원고 팩스 좀 빨리 넣어주세요.
차장님, 여기요.
이것 봐! 캡션이 또 빠졌잖아!
슬라이드도 아직 안 왔어? 미술 기자 오라 그래!
어휴~! 정신 없네요.
안녕하세요!
어서와.
전쟁이야! 전쟁!
포스터 나왔구나?
우리도 전쟁 하나 끝냈어요.
전리품!

SUMMER DREAM IN BLUE
I WISH YOU WERE HERE
BLUE CONCERT
인쇄출력을 외주 견습생이 맡아서 쓸데없는 교정을 무한반복 했지.
오~, 좋은데요
학생들 과제 출력하듯 본 거죠.
학생이라 무시한다는 게 말이 돼?
MUSE 7

팬클럽 회지 인쇄 들어가기 전에 한마디 해놓을 테니 기죽지 말고 싸워! 신현빈!
아자…
예.

이러다
MT 못 가겠다,
현빈이.
걱정이에요!
워크숍도 대리 신청,
모임도 계속 빠지고!
작업 전 MT는
꼭 가야 해요!
그럼 힘을
모아볼까?
같이 움직이자.
티셔츠 때문에
나도 싸우러
가야 해.
미안해!
요즘 정신이 없어.
견본을 두고 오다니!
엎어진 김에
쉬어 간다고~
시원한 거 마시며
한숨 돌리자고.
집이 무척
크네요.

혼자 살기 너무 썰렁하지 않으세요?
익숙해서 뭐….
공간의 크기보다 마음이 못 견디게 외로워지면 친구들을 초대해.
선배님, 애인 있어요?
사랑하는 사람… 있어.
가끔 밤새도록 술을 마시지.
성실한 애인처럼 부를 때마다 달려와주진 않지만, 우린 공감지대가 있거든 .
공감지대….
아, 저쪽 주방, 원하는 거 마셔. 난 5분 샤워 좀 할게.
그러세요.

diet Coke

현빈아, SOS~!
안쪽 침실 화장대 위, 클렌징 좀 갖다 주라~.
네, 선배님.

이건가?

LANCASTE
NOVELA
Cleansing

이건…,
이하윤의 앙크와 같은….

삐리리리리릭…
외출 중입니다. 메모 남겨주시면 연락 드리겠습니다.
기억의 연결 상징이란 건가. 앙크, 이하윤, BLUE, 잃어버린 희망, 의지, 공감지대….
저 목소리….
앙크 좀 찾아봐.
아무래도 어제 그곳이 마지막 기억인데….

…뭔가
소름이 돋는
느낌이야.

연우, 콩쿠르 특훈하느라 매일 학교 가잖니. 네가 그걸 몰랐단 말이야? 정말 단단히 싸운 게로구나!
아니에요! 어머니!
서로 좀 바빴어요.
그럼, 머리 자른 것도 못 본 거니? 생각할수록 아까워 죽겠다, 난.
…예?
안녕히 계세요, 교수님.
그래, 내일 하루 잘 쉬어!

정말
보기 힘들구나,
공주님.
아…

해준아…!
아직 이름은
기억해주네?

콩쿠르 대상은
맡아놨다며?
겁나서 출전
못하겠던데?
난
입상에 대한
관심은 없어.

데뷔나
그랑프리 경력을
원하는 게 아냐.
춤을 추는 동안
진실로 나를 만나는 것이
첫째고…,
콩쿠르는
구실에 불과해.
변혁의 계기가
된다면….

그 변혁이란 거,

내가
도화선이
된 거야?
그건….

너의 변혁 이후
제일 멀어진 건
나야.
이젠 주변을 통해
네 얘길 들어.
승표,
어머니,
윤 선배.
…….

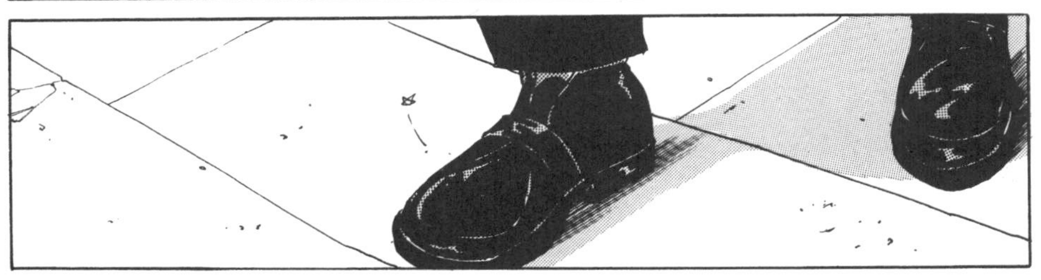

뭐가
그토록
힘들었던
거야?

머리를
자를 만큼….

바보야…,
왜 몰라.

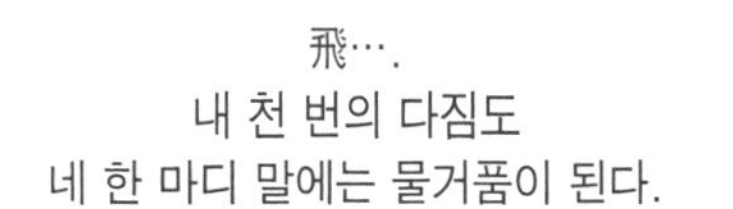
飛….
내 천 번의 다짐도
네 한 마디 말에는 물거품이 된다.

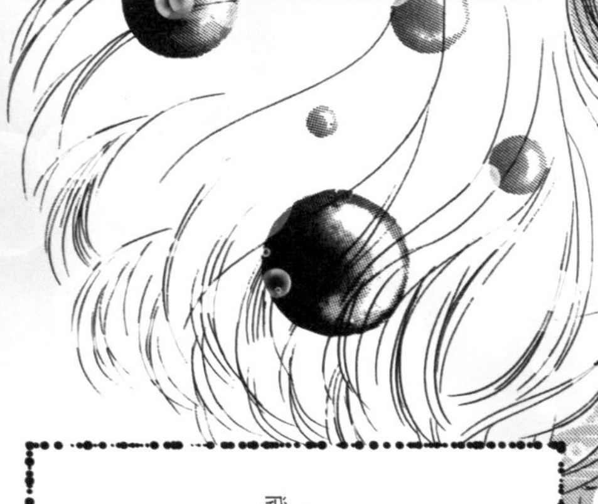
飛….
너의 그 하늘은 높고 무한해서
이 두 팔로는 안을 수 없다.
어째서 난
날개도 없이 널 사랑해버렸을까.
하늘도 아니면서….

멘트 끝나면
하윤이!
점프!
조명!

완전 파워풀!
사운드 죽인다!
빽 가겠다!
전부!
앰뷸런스 열 대는
준비해야겠어!!

아미 씨!
티셔츠
도착했어요.
그래요?
회지는요?

현빈 씨가
챙기는 것
같던데요.
이제 한숨
놓겠네요.

밖에 봤냐?
끝이
안 보이더라!
와~.

이거 떨리는데.
난리예요. 새벽부터 줄섰대요.
리허설 처럼만 해라.

저 이제 가볼게요.

현빈 씨! 아니, 어딜 간다는 거야?
공연 안 봐요?
저도 유감인데 막차 시간이 빠듯해요.

공연만 아니면 데려다주겠는데. 신영이도 볼 겸….
하하…. 속셈이 있었군요.

아, 혹시 제 배낭 못 보셨어요?

우리 짐들은 다 휴게실 쪽에 옮겨놨어요. 아마 거기 있을 거예요.
네에!
하윤 씨, 앙크!

내가 할게.
…….

단 하나의 연결….
그만이 걸 수 있다.

그럼 잘 하세요!
파이팅!
섭섭한데,
현빈 씨.
STAFF

당연하죠!
막공은
꼭 와요!
신영이
부탁혀;;

……?!

기분이 좋지 않아.
불쾌한 느낌….
싫다!
격려의 표정치곤 너무 과격한데.

뭔 잠들이
저리 많대냐?
기차에서 자고,
밥 먹고 자고,
자느라 피곤해 자고!
졌다! 졌어!
그나저나 현빈이
너무 늦는다.
딴 데 헤매는 거
아냐?
사막에 버려도
살아남을 애다.
무슨 걱정.
어? 준모 형
깨 있었네?
역시 우리
멤버밖에 없어!
나와!
승표도 안 자면
같이 커피
마시자 그래.

은경아!
까불다가 또
다친다.
수상해, 승표!
은경이 엄청
챙긴단 말이야.
자식!
보는 눈은
있어 가지고~.
....
푸하하...
악!
첨벙
것 봐라!
안 다쳤니?
이 돌 왜 이래?
중심 못 잡고 흔들려?
위험 표시 해야겠다.
쾅
준모 형!
나 옷 갈아입고
올 동안
커피 타놔!
깡패!
같이 가자,
준모 형.
홍승표!
넌 현빈이
오나 보고.
에치...

학생 때문에 적적하지 않아 좋았으니, 요금 반값만 받지 뭐~! 요 앞이 우리 집이여.
고맙습니다. 안녕히 가세요!
이런 말 해도 되나?
기다리면서 눈물 나더라.
보고 싶어서….
…어! 안 잤어?

일은
잘 끝냈어?
응.
공연
어땠어?
못 봤어.
뭔가
좋지 않은 일
있었던 거
같다.
후─.
독심술도 해?
…….
발이 부었다.
걷기엔 너무
먼 거리야.
물에 담그면
좀 나아질 거야.

조심해!
은경이 아까
빠졌었어.
여기쯤….
아….
그 얼굴…
기억해.

같이 미쳐보자~!!!
소리 질러~~~!!!
Blue—

DREAM IN BLUE!
DREAM IN BLUE!
꺄아아아아!

BLUE

BLUE

BLUE!!
BLUE!
BLUE!
BLUE
장난 아닌데! 얼굴 하나 믿고 나온 줄 알았더니!
저 파워로 저렇게까지 올라갈 수 있는 거야? 4옥타브 넘겠어!
이따 타이틀곡 「달의 눈물」 들어봐. 락 발라드인데 너무 애절해서 통곡하게 될 거야!
너무 멋져! 엉…
심장 터지겠어! 너무 흥분해서!

이 워크숍은 무대에 관심 있는 이들의 이해와 관심을 넓히려는 목적으로 열린 것이다. 무대 전문가들의 재능 기부로 진행된 것은 앞서 설명한 바 있다.
서로 다른 전공이지만, 무대 공간과 밀접한 관계가 있어 참가했을 것이다.
공통 관심사로 모인 만큼 멋진 시너지 효과를 기대하겠다.
그럼, 각 팀 분과 토의 들어가도록!
BLUE

그쪽 팀, 대단한 결속력이야! 편 가르지 맙시다. 개인 참가자들은 소외감 느끼네.
경력들이 벌써 화려하던데. BLUE 사인 받아주쇼!
한여름 밤의 꿈!
셰익스피어를?
다들 모던하니까 클래식이 된다구!
어쨌거나 튀어야 하는 사람들 아니냐? 다르게 가자고.

그럼,
환경 설정은
숲이 되겠군.
세트는
간결하게.
바위 하나,
나무 하나.
요정의 장난으로
사랑의 시약을
잘못 바른 연인들이
엇갈리는 신.

하룻밤이기에 망정이지
눈먼 애인을
어떻게 바라보겠어.
그 심정 말로
다 못한다.
오우!
리얼한데!
사연 있구나,
홍승표?!

하룻밤으로는
모자라지 !

후덜~.
섬뜩한데.
은경이도
살로메
타입이었구나.
와하하~.
그런 묘약 있음 좋겠다!
잠에서 깨어난 상대가
내게 반하도록
미리 꽁꽁 묶어서
시선 고정시켰다가
눈 맞추게!!!

톡
톡
누구야? 돌 던지는….
준모 형!
여…, 잠에서 깨어 이 몸을 처음 보았으니 넌 내 포로다.
요정이 실수한 모양이군. 일편단심은 어쩌고 그런 소릴 해?
내일 공연 보려면 일찍 떠나야겠다, 신영이랑 너.
준모 형은 안 가?

참,
승표 여기 없냐?
자려고 보니
녀석이 없더라고.
그림터 가야지.
MT 때문에
이틀 빠졌는데.
누이한테
안부나
전해줘.
사락
여기 있었어?

아직 안 잤어?
넌 좀… 특이하다. 보통 남자들과는 감성 사이클이 다른 것 같아.
어떻게 해석해야 하는 거지?
좋은 쪽이야, 나쁜 쪽이야?
여자들에겐 나쁘지 않지. 말이 통하는 편한 남자 사람 친구가 될 테니까.
여자들만이 이해할 수 있는 고감도 주파수가 네게도 있어. 양쪽 언어를 다 듣는 것 같아.
너무하다. 희망과 절망을 동시에 주는 거냐? 신현빈.

Blue
CONCERT
언뜻 들으면 러브 송이지만 하윤 씨와 어머니의 이야기죠.
와앗! 「달의 눈물」이다!

내가 사랑한 여자들이
한결같이 해준 말이야.
친구 이상의 선은
넘지 말라는 경고로.
언제나 나의
소속은 불안정한
곳에 있어.
어머니와의
선조차 제대로
이어지지 않았지.
어머니는 날 힘없는
그림자로 만들어.
끝없이 버리고
또 그것을 잊으면서.
하지만 그것이
어머니가 날 사랑하는
방법이니까.

나를 깨우는 슬픈 목소리.
너는 달빛 아래 혼자 울고 있었어.
잠들지 않는 새벽 바다가
너의 눈물을 달래주었지.
그저 바라보았어.
너를 끝없이 안고 싶지만
너의 눈엔 내가 없는걸.
이 노래 들으면
눈물이 나. ㅠㅠ

어머니는
너무 오래 혼자 계셨고,
내게 바라는 건
곁에 있어주는 것
뿐이지.
그뿐인데…
난 그것조차
벅찰 때가 있어.
조금만 덜 사랑해주었다면
이렇게 힘들진 않았을 거야.
늘 그 기대를 채우지 못할까
조바심치지 않아도 되니까.
한편으로는
그 사랑을 잃게 될까
두려워하면서도 말이야.

이제 나는 떠나가려 해.

아름다운 너의 눈길 닿는 곳에
언젠가는 날 볼 수 있게.

그대 달을 지나 저 태양 속으로.

오빠…,
울지 말아요!

BLUE!

BLUE

BLUE!
BLUE!
BLUE!
BLUE

하윤 오빠!
오빠아~!
BLUE 오빠아~!
BLUE~!
빨리 타! 머리 뜯기고 싶냐!
앉을 곳이 없잖아!
좋은 자리 있네! 인간 쿠션!
악!
현빈이는요!
현빈 씨! 뭐 해요! 여기도 자리 있네!

빨리 타!
현빈아!
오빠아~~~!
장소 알지,
현빈아?
곧 따라갈게요.
출발하세요.

그럼….
오빠아~~~!

오빠아..
……

아저씨,
BLUE 멤버들
여기 왔죠?

와~! 다 알아요!
아니, 어디서
애들이 떼거지로
몰려왔어?
거기 서! 너희들!
나가!

하윤 오빠다!
오빠!
와르르
뭐엇이! 하윤오빠!
오빠아~~!
띵동
.....
치이이잉!
오빠아
오빠아~~...

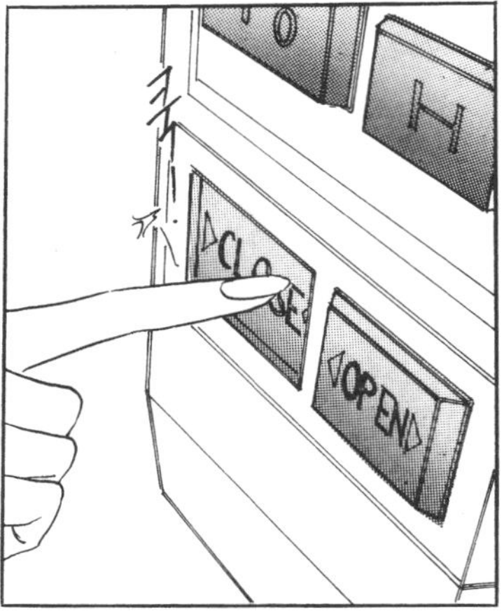

오빠아~~
너무해!

Ah, c'est formidable!
뭐라는 거야?

15

땡

지이이잉…
하윤 씨!
어디 갔었어?
찾으려는 참….
아, 현빈이
왔구나!
현빈아!
왜 이렇게
늦었어?
걱정했잖아.
하윤!
슬그머니
사라지더니
현빈 씨 마중
갔던 거냐?
…….
왕친절~!
와….
…….

BLUE

BLUE

飛愛天使

[BLUE OST Vol.1 연우 Theme]

알고 있니.
네 목소리는 여전히 날 아프게 해.
너는 웃음을 보였지만
내 마음은 울고 있었어.

듣고 있니.
난 기도했어, 널 마주보게 해달라고.
널 사랑했어, 처음부터.
나의 꿈은 너뿐인걸.

Cafe ONE
Cafe One

아, 승표 군!
오랜만이야! 때마침 잘됐네!

구원 투수를 만나 정말 다행이군! 도와주시게!! 어머님 화가 불같으시네!

…….

나가버려!

좀 봐주게.
이혼한 마누라 생일 챙기는 게 무슨 바이어 접대야? 왜 번번이 거짓말해요!
꺼져버려! 당신같은 인간들 지긋지긋해!

자네 아들도 와 있는데 진정해요.

나가주시겠습니까.
한심하고 더러워 죽어버렸으면 좋겠지? 호적 엄마 대신 생모가 갔어야 하는데, 그치?
하는 말마다 천박하고 끔찍하지? 미련 많은 너, 정 떼게 도와주는 거야.
추한 꼴 찾아내서 버리기 충분한 이유 달아 못 박으라고.
행여 착한 아들 콤플렉스 도져 애써 사랑할 이유 찾지 말라고. 아가~.

유년의 어느 날
기억이란 단어를 배운 이후
처음으로 만난 것은
무력하게 버려진 나 자신이다.

박탈당한 의지.
짓밟힌 가치관.
권리는 죽고 의무만이 남은
삶의 무게를 지탱하는 일은
결코 쉽지 않았다.

영원한 봉인을 원하지만
사소한 갱신조차
불가능한
상실의 기억.

어른들의 유희와
상관없을 만큼 자랐어도
추억 속에 틀어 앉아
잔인하게 속삭인다.

넌 버려졌어.

오늘도 변함없이 별을 보며 집을 나와 또 별을 보며 집에 갑니다.

후아…. 이날의 마침이 과연 올까요? 준모 형! 삼수 때 끝이 보였나요?
끝이란 또 다른 시작인 거 몰라? 또 다른 터널에서 허우적대고 있다.
BLUE

준모 피곤하겠다. MT 장에서 바로 왔을 텐데.
예쁜 짓 했으니 내가 태워다주지!

반대 방향인데 무리할 거 없어요.

준모 형!
BLUE 콘서트 또
언제 하는지 알아요?
억울해 죽겠어!
날짜를 잘못 봤지
뭐야!
흑흑흑—.
그것만은
벼르고 볼
생각이었다고요.
글쎄…,
잘 모르겠는데.

…….

형!
같이 갑시다.
논현동에서
떨궈줘요.
너희 집
이사 갔냐?

비밀 별장이
있지요.

오늘
수고 많았어.
푹 쉬어요.

안 들어가요?

왜….
쉬고 싶어.

방해하지 않을 테니
들어가요.
…….

갈게.

Salut!
…….

뭐야, 누이.
이 시간까지
코디가
필요한 거야?
아니면….
준모야!

됐어!
우리 똑똑한 누이,
생각 없이 사는 여자
아니니까.

어머!
연우, 오랜만이다!
콩쿠르 연습
열심히 했다며?
머리까지 자르고!!
기대할게!

그래도
얼굴은 좀
보고 살자,
얘.
죄송해요.
내일 대회에서
만나겠구나.
좋은 꿈 꿔!
안녕히 가세요.

왔구나.
선배님.

잘된 것
같다.
양쪽 다.

해준이
안에 있어.
들어가봐.
고마워요,
선배님.

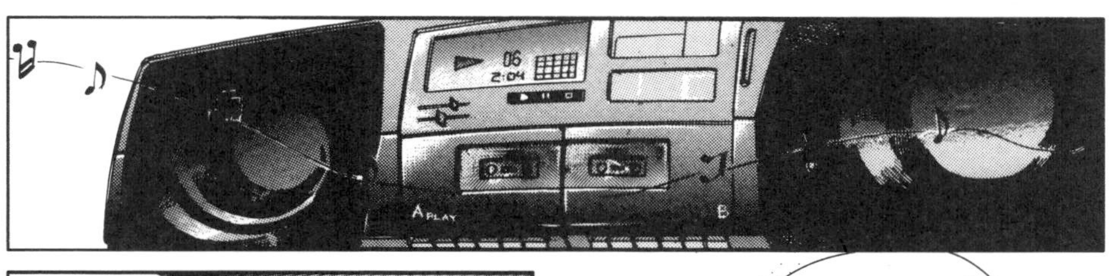
06
2:04
APLAY
B

아—,
이 곡은….

해준아….

이번엔 너를
위해서야.

우리들의 에튀드.
해준이가 출전하기 전날
꼭 함께 추던 춤….

해준아…,
난 아직
이 행복한 불행에서
도망칠 수 없나 봐.
이렇게 가까이
너를 안으면
눈물이 나.
너를 느낄수록
욕심이 자라.
내 것이 아닌
행복을 탐한 만큼
마음 아프지만
너의 기쁨이 되는
나를 꿈꾸게 돼
미안해….

삐
긋
아!

연우야!
괜찮아?
아…,
미안.
실수였어.

정말
괜찮아?
괜찮다니까.

조심해.
바로
내일인데.
응….

잘해,
연우야.

고마워.

괜찮아….
한 번뿐인걸.

승표!
어디 가냐?
광냈네?
시디과 처녀랑
잘 되어가나 보군?
너무 정 주지 마라.
숙명의 농구전
있으니까,
적의 여자여.
Some like it hot!
운명의 사랑이 더
처절하니까.
소문은
유명세라지만
너무들 심해.
눈길만 마주쳐도
애인으로 둔갑해.
그중 하윤 오빠랑
아미 언니가
제일 지독해.

근거는 있어. 그것의 진실이 와전된다 할지라도.
야~, 넌 남처럼 얘기하냐? 식구끼리.
난 그 말 싫어.
스태프도 아닌데 내가 왜 그쪽 식구야?
너무하다! 1집 아트 하고도 그런 말 하냐? 2집 앨범도 작업 들어갈 거면서.
안 할 거야.
뭐?
왜?!

넌 이유 없이
이러지 않아.
내 스타일이 아냐.
마음에 맞지 않아.
현빈아,
뭔가 있었지?
뭐니? 내가 알면
안 돼?
설명하기엔
뭔가 부족해.

나중에라도
답이 나오면
말해줄게.
그냥
잊어주면
더 좋고.

승표!
오랜만~!
어디 가?
Hi

여~,
아가씨들끼리
데이트 중?

차 한잔 할
시간도 없어?
음…,
장소를 내가 정해도
된다면 가능.

난 안 돼.
BLUE 연습실
가야 해서….
다행이다!

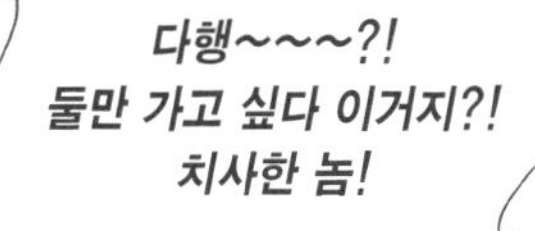
다행~~~?!
둘만 가고 싶다 이거지?!
치사한 놈!
하하하.

새벽까지
기다렸어요!
오빠는 아무 생각 없이
잤겠지만!
못 간다고
했잖아.
연우 언니가
대상 타길
원하죠?
그건
최선을 다하는
사람 거야.
좋아요.
그럼 서경이 거야.
오빠가
도와준다면.
응원할게.
응원 방법
내가 선택해도
되죠?

서경아!
Kiss해줘.
만 번의 박수보다
확실하게
전달되니까.
달칵

해준아…, 너?

뭐예요?

역타를 치셨군요.
이건 예문에 넣지
않았던 거라구.
신경 쓰지 마세요.
잊어주세요!

…….

안녕하세요,
승표 오빠?
···

…….
흥—!
목례만
간신히.

용서해라,
승표야!
불편한 그림
보인 거.

연우는?

채연우.
H대 현대무용과 2학년.
작품 제목 「클리티에」.

아폴론의 모습을 본 순간,
상냥하고 천진한
꿀의 님프 클리티에는
운명의 사랑에 빠진다.
하늘에 사는
아폴론은
클리티에가
가까이 하기엔
너무 높았다.
결국 고백의 말조차
건네지 못한 채
죽음에 이른 클리티에는
해바라기가 된다.

매일매일
그녀의 일이란
그의 모습을 쫓는 것.
그가 서 있는 근처에는
바람조차 향기로워
수줍은 클리티에―.
끊임없이
흐르는 눈물과
찬 이슬에 젖어
그를 향한 그리움으로
죽어갈 뿐.

나를
봐줘요!
당신을
사랑해요!
이토록
사랑하고 있어요!

飛….
내 발이 땅속에 묻혀
뿌리가 되고
몸이 줄기와 잎으로 변해
해바라기가 된다 해도
말할 수 없을 거야,
널 사랑해라고는….
연우…,
더욱 깊어졌구나.
대단한데요! 저토록 아름답게 절제된 사랑의 표현은 처음 봤어요.
가슴이 찌릿해요. 누군가 사랑하지 않고는 출 수 없는 춤이야.
보석 같은 아이예요. 섀도 댄싱만 받다가 자기 작품으로 첫 출전한 겁니다.

라서경.
S대 현대무용 1학년.
작품 제목「살로메」.
헤롯왕의 생일잔치에 그의 딸이 춤을 추어 그와 손님들 모두를 기쁘게 하였다. 매우 즐거워진 헤롯은 그 딸이 청하는 모든 소원을 들어주겠다고 맹세한다.
그러자 딸이 제 어미가 시키는 대로 요한의 목을 쟁반에 담아 가져오길 청하였다.
지금의 살로메는 극단적인 사랑의 이름이 되었다. 잃지 않기 위해 죽음으로 결박해버리겠다는―.

누구도
그녀를 벗어날 수는 없어.
단념하는 게 좋아.
그 춤의 마법에 빠져
목이 베이는 순간도
깨닫지 못할 테니―.
누구에게도
널 주지 않겠다!
나를
사랑하게
될 거야!

네 모든 걸
갖겠다!
결코
빠져나가게
하지 않는다!
이제 1학년이라
좀 이른 듯 싶었는데,
역시 기대 이상이야!
공격적인
표정 보셨어요?
카운트나 스트레치도
더 완벽해졌고
훨씬 파워풀해요!
주니어 때부터
쌓은 무대 경력만큼
노련하고
세련돼졌지요?

8년 만에
대상 나오겠어요!
이건 정말 대단한
획득이야!
클리티에도
예술성에서는 무척 뛰어났지만,
점프, 테크닉, 밸런스 쪽은
살로메 쪽이 월등합니다.
출전했던 12명
모두 평균적으로
기량이 뛰어났어요.
이번 콩쿠르
정말 멋진데!

이번 대회의
여자부 현대무용
대상 라서경!

여자부 현대무용
은상 채연우!

이해준! 서경이 특훈 굉장하구나! 테크니컬뿐 아니라 아크로바트까지 소화해냈어!
축하해! 서경아.
축하해요!
해낼 줄 알았다!
멋진 클리티에였어!
연우야, 축하해!
고마워요, 모두….
승표야!
와~. 가까이 보니 더 귀여워! 요정 같아!
최고였다, 채연우! 저분들은 네 춤의 내면을 충분히 읽지 못했나 봐.
나의 대상은 너야!

고마워,
승표야.

그녀야?
응?
아…, 으응.

안녕하세요!
뵙고 싶었어요.
예…,
안녕하세요.

축하드려요!
정말 아름다운
클리티에였어요.

강하고
세련된 느낌….
멋진 여자구나,
승표야….
고맙습니다.

먼저 가 있자.
해준이 빠져나오려면
마녀 때문에
시간 좀 걸릴 거야.
긴장이 풀리니까
발의 통증이
심하게 느껴진다.
아!
앗!

연우야!
아, 발이 미끄러졌어. 미안해!

야, 홍승표! 번지수가 틀렸다.

어디 봐. 발 괜찮아?
발이 부은 것 같은데, 연우야!
……..
으응~, 괜찮아….

탁

해준아, 괜찮아, 나….

업혀.

정말 괜찮아,
해준아!

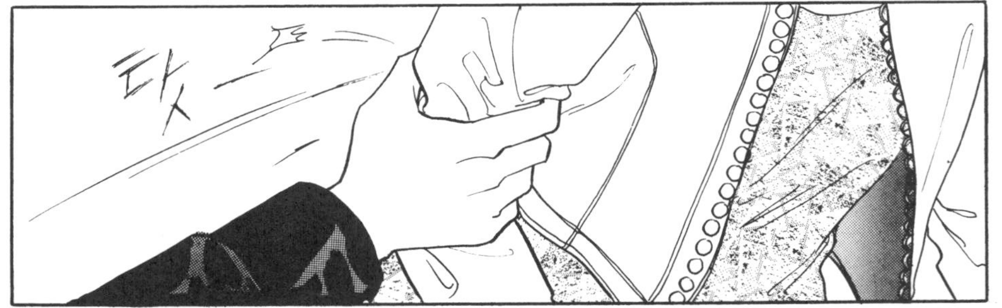
탓—
드

던진다.
내려줘! 해준아, 걸을 수 있….

그래…. 이게 내 자리야.
먼저 간다.
….
이 자식, 병원 가기 전에 좀 맞아야 해.

걱정 마세요,
어머니.
예, 인대가
늘어난 것뿐이에요.
지금 응급조치
끝났구요.
아니에요.
오시지 마세요.
지금 갈게요.
그리구요, 어머니,
연우 은상 탔어요.
정말 대단했어요.
그럼
가서 뵐게요.
예!

탁
후….

정말
화났구나.

해준아….
모를 거다.
네 발을 보는 순간
심장이 멎는 줄
알았다,
채연우….
축—욱..

약속해.
다신 바보짓 않겠다고.

치명적인 실수야. 댄서에게 발은 생명이다. 끝장이라구.
그래…. 모든 욕심과 다 바꿔도 아깝지 않아.

미안해.
그리고… 고맙다.
평범한 우정과 사랑과는 또 다른 감정으로, 같은 길을 선택한 동료로서 느끼는 이 연결만으로 충분한 거야.

가족 같은 분위기더라. 사촌들처럼.
유년시절부터 형제처럼 지냈다면 뭐~.
근데 이상한 건
네 친구들 볼 때마다 난 뭔가 평가 받는 기분이 들어.

어떤 부분이?
말은 상냥한데 눈을 반짝이며 전신을 스캔하는 느낌이랄까….
대체 나에 대해 뭐라 한 거야?

하하하.

좋게 생각해.
널 마음에 들어
하는 거니까.
근데…
안 가봐도 돼?

정말
전화만으로
괜찮아?
나 때문이면
신경 쓰지
말고 가봐.

해준이가
곁에 있으니 괜찮아.
내가 가면 신경 쓰느라
못 쉬어, 그 녀석….

처음으로 사랑한
사람이야.
아주 많이
사랑했고
지금도 그래.
그 차원은
달라졌지만.
혼란함에서
완전히 벗어나진
못한 거 같아.

남녀의 우정에 혼란이 이는 건 이성의 향기가 갖는 다중 언어 때문일 거야.
그것이 어떤 감정이든 동등해야 된다 생각해.

어느 한쪽의 인내로 이루어진 평화. 그걸 서로 이해했다고 할 수는 없는 거니까.

가령 균형을 잃는다 해도 한 번쯤 먼저 손을 내밀어볼 수는 있잖아.
너의 용기가 부족한 건 아니었어?

……….
그럼… 다신 손 못 놓을 것 같아서.
절대 올 수 없는 사람의 손을 잡고 놓을 수 없게 되면…,
그 다음은 어떻게 해야 하지?

지금 올 수 없니?
보고 싶어, 준모야….
과제가 밀렸어. 나중에 들를게.
다신 안 보기로 했구나?
…….
…….
어떻게 하면 돼? 뭘 말해야 할까?

무슨 얘길 듣고 싶니? 하윤 씨와의….
됐어!
무슨 상관이야, 내가.
마음에 없는 소리…. 상처가 될 것을 알면서….
…….

힘들어…. 죽을 것 같아!
누이!
너 아니면 아무 기댈 곳이 없어! 난….

좀 괜찮아?
응.

엉망이지,
나…?
억울하지만
너무 예뻐서
화가 나.

사랑의 강에 빠진
나의 오필리아.
애정의 순도와
크기만으로는 그대를
구할 수 없어.
이 세상은 내게
자격을 주지 않았다.
조심해, 누이….

또 한 번
숨죽여 울면,
그 자식
가만 안 둬.
미친 짓 할지도
모른다. 알아?
네 앞에서…
보이진
않을게.
하지만 혼자서라도
울지 말라고는
하지 마.

나에 대한 주문 같은 거다.
스스로 기댈 곳은
있어야 하니까.
이 눈물만큼
돌아봐준다고 믿고 싶어.
언제인가 꼭
돌아서준다는 확신이 있으면
기다리는 건 어렵지 않아.
그건 달콤한 고통이니까….

와…, 깨끗하다!
소문으로 듣던
남자 기숙사랑 다르네!
축제 기간
오픈하우스 때문에
대청소를 했지요.
손님 맞이를 해야 하니까.
하하하.
그 최고의 방에
매번 탈락하긴 해도
본선에는 든다네!
어디 가요,
형?
아, 그럼
이몸은
이만~.

눈치가 백치는
아니라네!
잘 노시게~.
형!

자식들!
빈말이라도
같이 놀자는 말
안 하네~.
탁!

밤에 밖으로 비치는 불빛이 이 스탠드 때문이었구나?
글쓰기 좋은 분위기인데? 멋진 글이 써질 수밖에 없겠다.
FAIR
학보에 실린 거 읽었어. 정말 좋더라.
남규 형 때문에 어쩔 수 없이 쓴 건데, 지금 생각해도 간지럽다.
네 글이 얼마나 감각 있고 감성적인데!
애들이 너 소개시켜달라고 난리다!
이런~.

하하….
옛날처럼 편지로 연애하던 시절이었다면 모든 여인들의 사랑을 다 차지했을 거야.
좋았어. 주소 적어, 신현빈!
매일매일 편지 쓰겠어!
와…. 혼자 읽기 아까울 텐데. 그거 나중에 다 묶어서 책으로 공개해도 되는 거지?

해피엔딩을 조건으로 한다면.
…….

쾅!

헐~.
구리구리!
방 안 공기
요상하구만!

놀랬다,
인마.

귀족 나리,
미안하지만
이왕 저지른 거
분위기 좀
깨야겠수다.

이 나쁜 놈들아!
나 혼자 빈대떡
부치란 거냐? 앙!
휘리리릭…
잘못했어요!

치이익

냄새 죽인다!
오오~, 해준! 수고 많았지? 바빠서 네 춤도 못 봤다, 야~.
Hi
해준이 왕빈대떡 하나 부쳐라!
왔냐?
안녕!
와우~, 감격! 현빈이 만든 빈대떡을 맛보다니!
FAIR
연우는 좀 어때? 괜찮아 졌어?
많이 나아졌어. 여기 오고 싶어 했는데 아직 무리라서.
FAIR
같이 왔으면 좋았을 텐데 아쉽다.

오다 보니 재밌는
프로그램 많더라!
손님도 없는데
대충 파장하고
놀러 갑시다!
…어,
한 명이
안 보이네?
신영이, 이놈!
상근 형 옆에
붙어 있느라
코빼기도
안 보이는 거야!

오늘 BLUE
초청 공연
있잖아.
야…, BLUE까지!
완전히 J대 축제
사절단이었구나,
우리 H대!

그거나
보러 갈까?
이하윤이
죽여준다며?
…….

해준아,
재밌는 프로그램
많았다며?
뭐가 제일
괜찮더냐?

자! 돌고 찍고!
대전, 대구,
부산 찍고, 터닝!
앗싸! 좋아요!
개구리 소년 네가 울면 무지개 연못에 비가 온단다 비 바람 몰아쳐도 이겨내고
즐거운 포크댄스
게임! 게임!
STOP!
자아~, 숙녀분들!
앞에 신사분께 뽀뽀하세요!
마음에 드는 곳 어디든 골라
사정없이 하세요!
오우!
누구야!
이 유치한 포크댄스
게임 하자고 한 놈이!
Yes!

남자야~,
이리 오지 못할까!
어째서?
다들 재밌어하는데
뭐가 문제야?
이해준!
네 수준이
이거였냐?
여자님!
너무 야행~.
완전 즐기고
있다고들~.

반항하는 여자분께는
벌칙이 있다는 사실!
남자분들, 그녀의 귀를 잡고
입술이 부르트게
Kiss한다!
으아악!
그건 더 싫어! 못해!
죽어도 못해!

…준모 형
너무 커서
안 닿잖아!
너의 비명이
자존심을 긁는구나,
남은경!
내가 그리
징그러운 존재였냐?
난 입술
이외엔 안 하는
주의….

OK!

May I…?
으아…,
승표야!
내가 할게!

자! 승표!
너도 멋지게
해봐.
와아~, Nice!
준모 형!
ATTACK
AFTER

CHOI
FAIR
으아….
왜…,
왜 그래?
FAIR
아저씨!
판 계속 돌려요!
정말 멋진
게임이에요!
FAIR
하하하.
진정해, 승표야!

앙코르!
앵콜!
앙코르!
앵콜
앵콜
Nice BLUE!

감사합니다!
와…
짝
짝
뭐야,
다 끝났잖아?
짝
짝
짝
짝

현빈아!
야호!

BLUE
안녕들 하셨어요!
FAIR

와~,
영광인데요!
왜 이제 와요?
현빈 씨 때문에
여기 온 거나
마찬가진데.

기대되는데!
언뜻 봐도
미인들이
많더라구!
오빠들,
이후 시간 비웠지요?
약속대로 소개팅이
준비돼 있습니다.
최고의 미인들과의!

하윤이 파트너는
내가 주선하지!
예? 여기
아는 사람 있어요,
오빠?

신현빈!
하윤이 콧대랑
맞먹을 사람
이 아가씨 말고
있겠냐?

와우!
그래! 그래!
괜히 따라와서
우리 파트너들
정신 빼지 말고.
멀리 갈 거 있냐?
하윤이 넌 여기서
놀아라.
나중에 보자!

야…,
가벼운 상대는
아닌 것 같은데.

여자들의
저런 표정은 말이지,
두 가지 이유밖에
없어.
승표야.

그럼….
하…
세 명의
파트너?

신경 쓰지
말아요.
저 세 명 씩이나
되는 파트너들
관리하기도
벅찰 텐데.

AIR
하 하….
와아! 양준모!
카수해라! 카수 !
다들
노래 실력들이
대단한데, 이거!
자! 마지막!
우리의 홍승표 군!
더 이상 피할 수는
없을 것이다!
어서 불러라!
와….
시간이 벌써!
우리만 남았나 봐.
그만 일어나는 게
어때?
그런 게 어딨어?
승표 노래
듣기 전엔
끝낼 수 없어!
승표! 승표!

좋았어! 노래한다!

괜찮아? 너무 많이 마신 거 같다.
No problem!

멋지다! 홍승표!

너와 내가 있던 그 언덕 풍경 속에
해가 지기 전에 가려 했지….

와아~! 오빠~!
Rocker 홍승표! 이하윤 통곡 소리 들린다!
승표야, 포즈! Rocker처럼!

너는 내가 되고
나도 네가 될 수 있었던
수많은 기억들~~.
오빠아~~!
와우! 홍승표!
예!

내가 항상
여기 서 있을게….
걷다가 지친 네가 나를 볼 수 있게….
현빈아! 내 가슴이
다 짜릿하다, 야….
…….
저 녀석….
짜식, 너,
오버하긴 했구나.
어엇! 승표야!
아…, 해준아.
내 친구!

기분이
좋구나?
아아…,
최고!
신현빈!
신현빈,
어딨어!

여기 있어.
FAIR

아하…, 아가씨.
아직 도망치지
않았구나.
도망칠 이유가
없잖아.

들었지, 해준아?!
현빈이는
도망치지 않는다!
멋진 여자야!

…….
승표야!
이렇게 귀여운 줄 몰랐다.
가끔 술 좀
먹여야겠는데?

자, 가자고!
승표 재우러.
현빈이가 자장가
불러줘라.
하 하 하 하 하
잘 자라
우리 아가~.
탁

찰칵

BLUE

Once In A Blue Moon
[BLUE OST Vol.1
승표, 해준, 연우 Theme]

어린 시절 우리 돌아선 시간 저편의 추억들은
잃어버렸던 마음의 크기만큼 사라져갔지.
서로의 약속을 잊고.

너와 내가 함께 사랑한 작은 소녀 여인이 되고
언제부턴가 그녀의 두 눈엔 비가 내렸어.

널 위해 흐르던 눈물—.

at gunpoint
Minister lands
top bureau post
Bear

현빈이
데려다줘야
한단 말이야.
걱정 마.
대신
무사 귀환
시킬 테니.
이번 게임은
나 혼자 한다.
이해준….
물론이야.
믿는다.
…….
거슬릴 정도였어?
그건 적신호야.
그만둬….

타!
됐어,
서로 방향이
다르잖아.

뒷 차 탈게.
잘 가!
어...

택시!
신현빈!

늦었어요,
엄마~.
죄송해요.
아, 지금 막
들어오네요.
걱정해줘서
고마워요,
잠시만요.

뭐 그렇게 기분이
좋으세요?
FAIR
요즘 이렇게
정중한 매너를
갖춘 녀석이
다 있었냐?

가정 교육이 제대로 된
집안인가 보다.
받아봐!
FAIR
제 전화예요?

예상 시간에
들어간 걸 보니
정직한 차를
탔구나?
어…,
그랬어?
세상이 흉흉해
번호판을
봐두었거든.

고맙네. 너도
잘 들어갔어?

뜻밖의 전화.
여자에게
배웅 받고 오긴
처음이야.
기분 진짜
이상했다.
단지 남자라는
이유만으로
여자를 집 앞까지
배웅하는 건 불필요한
시간 낭비야.

여자 에스코트하는 남자들은 다 머저리라는 거야? 연인들의 아쉬운 배웅이나….
연인! 그건 이유가 성립되지. 투자, 내지는 확인이랄까?
어리석은 놀이에는 변함없지만, 그게 사랑의 매력이라니….
원래 그렇게 건조해?
그렇게 들렸어?

거기까진 아니지만, 전화가 부담스러운 건 사실.
논리에 강할수록 순서에 집착하게 되나?

내게… 뭔지 적대감까지 느껴져.

말장난 좋아하는구나, 너?
네 말투 말이야. 자극적일 때 많은 거 알고 있어? 내 유별난 취미에 걸리니까 주의해.
뭐래?
너도 결코 유쾌한 말투 아니거든? 그만 끊자.
찰칵
경고! 이해준!! 정신 차려!!
말도 안 돼….

그럼요!
미스 박이 제일
뛰어난걸요.
물론이죠.
저 대하듯 해주실 거죠?
하하….
감사합니다.
예! 그럼
언제 한번 봬요.
들어가세요.

와…, 누이.
자만이 하늘을
찌르는군!
자신감이지요.
능력을 갖춘 자만이
가질 수 있는!
해설이 더
멋지군요.

아미 선생님처럼만 된다면
더 바랄 게 없을 거예요.
진짜 프로거든요.
일도, 사랑도 프로!
요즘 연예가 들썩인
이하윤 연애설도
진짜였으면 했어요.
하하.
그거 우습게
끝났지?
세 살 누나라고
안심했다면서?
이해하기 힘들어.
연상연하 커플
흔한데.
두 사람
잘 어울리지
않아요?
무슨
얘기들이
그리 재밌어?
나도 듣자!
…….

어머,
밀담이에요!
쌤 들으시면
곤란하죠.
섭섭한데.
소외감 느껴진다.
HAPPY♡ CHRISTMAS

보디가드 앞에서
그런 말 하면
꿔다 놓은
보릿자루
되는 거지 뭐….

이렇게 멋진
보릿자루 누가
갖고 있겠니?
…….
CHU-

…….
왜…?

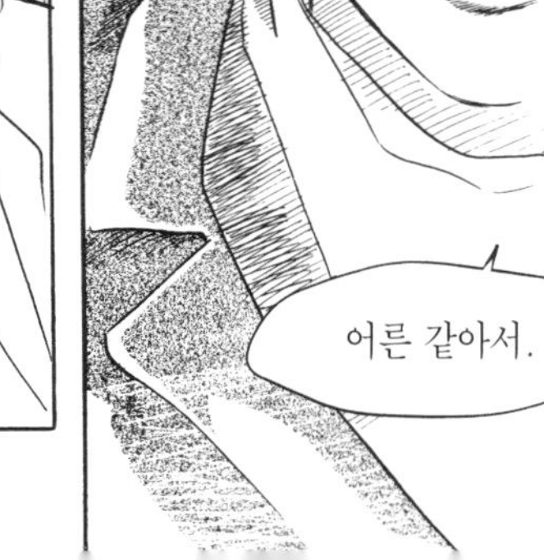
어른 같아서.

안녕하세요.
어머!
현빈아,
여기 웬일?
어서 와요!
제가 호출했습니다.
이재하 씨랑?
또 무슨
꿍꿍이야?
하하...
서로
반한 사이란 거
모르세요?
맞아요.
재하 오빠
사진에 푸욱
빠졌거든요.
찰칵
찰칵
찰칵...

찰칵
찰칵
작업 중이시네요.
이번 〈Muse〉 표지 또 이하윤이야. 부수가 더블로 뛰거든! 하하….
어제 내가 대충 사진을 골라봤는데 마음에 안 들면 내 작업실에서 직접 뽑아도 좋아요.
영상 과제까지 도와주는 사이였어?
상부상조 하기로 했어요. 저도 맡긴 게 있거든요.
탁
송 차장님! 여기 계셨어요? 권 부장님이 아까부터 기다리셨어요.
아차! 깜빡했네! 열받았겠는데, 권 부장.
다녀올게.

착
칵
착
칵
착
칵
됐어! 재킷은 밖에서 찍지 뭐.
야외 촬영 가세요?
같이 갈래요? 수목원에 갈 건데 놀다 저녁도 합시다. 그쪽 갈비 유명해요.
아쉽지만, 오늘 8교시 들어 있거든요.
F-90 & F-601
TMX-100
NIKON
어…?
그걸 어디다 뒀지? 신경 써서 너무 잘 둔 것이….
아! 사무실!

슬라이드 주러
올라갔다 서랍에
넣어뒀어요!
죄송해요.
번거롭게
해드려서….
STUDIO
무슨 말씀!
잠시 기다려요.
올라갔다 올게요.

…….
…….

뭐가
두려워?

어려워한 것 같지 않은데. 오히려 자만에 가까울 정도로 자신만만하지 않았던가?
무슨 소리죠?
뭐야.. 갑자기 웃을…
1집 Art…, 첫 작품 치고는 감각적으로 잘했어요. 내 취향에 맞기도 해. 2집은 더 나아질 것으로 보는데.
아직 전 역부족이라. 뛰어난 분들이 많으니까요.
전해들은 변명이 더 솔직한 것 같은데?
뭐, 도망치는 이유도 배짱 있군. 스타일이 맞지 않는다는 말로 퇴짜를 놓은 셈이니까.

그야말로 대단한
자만이시네요.
어딜 감히
거절하느냐는
건가요?
…….
넌 군대에 가면
어울렸겠다. 단시간에
전투태세를 갖출 테니.

짠! 무사히
있더군요!

자,
현빈 씨 거.
고맙습니다.

뭐야,
이건…?
그리고
하윤이 것도
있다!

출근하는데
어떤 애가 오더니
느닷없이 이걸
주더라고.
하하하
하하
팬인가 싶어서
감격해 있는데,
그 아이의
한마디~!
하윤 오빠한테
전해주세요!
사진 멋지다고
엽서 쓸게요!

웃지들 말어~.
카메라 끄고
이참에 가수
해버릴라~.

현빈 씨, 가다가
떨궈줄게. 타요!
아뇨. 지하철이
더 가까운걸요.

극단적인 것과
순수는
동의어가 아니지만
일맥하는
부분이 있어.
?..

치료약!
예민함을 오래
방치해두면
병이 되니까.
퍽
뭐…예요?

이유 충분해.
받을 수 없어요.
준 사람이 알면
속상할 거고,
내가 받을 이유
없고.

바보 같아!!
머릿속이 갑자기
비워져
버린 것 같다….
둘이
잘 어울려.

Hi~!
착한 학생!
어….
야…, 멋진 친구.
너도 공부하러
왔냐?
아니,
놀자구 왔지!

말도 마~. 사람들이 다 보고 웃고….
COFFEE
ROSEBUD
COFFEE
Maxwell

둘이 잘 어울리는데!

…….
표정이 왜 그래?

똑같은 말을 했어.

이거 준 남자하고?
…….

그 사람
좋아하는구나?
그 반대야.
기분이 좋지 않은
쪽이니까.

우습게 됐지만
이걸 버린다면
더 이상해지잖아.
맞아, 이렇게
귀여운 걸
어떻게 버리냐.
들고 있는
사람까지
귀엽게 만드는
친구인걸.
Coca-Cola
Coke

너 아주
귀엽다,
지금….

승표야~,
그런 식의 말
싫어!
닭살!
에이… 뻥!
어…
협공이야?

파락

이것 좀 봐, 승표야.
〈MUSE〉의 새 기획이래.
잘하면 네 알바 될 수 있어. 영상에 맞는 문구를 쓰는 건데, 네 글솜씨라면 할 수 있을 거야.
너무 과대평가 하는 거 아냐?
사랑의 에스프리야. 로맨틱하지?
또 다시 바람을 사랑하게 될 거야.

마치 내 미래의
일기를 보는 것 같다.
응…?
물거품 같은
사랑을 하는 여자….
그리고 그것을
지켜봐야 하는 남자….
나약함, 집요한 미련,
아직도
사치스런 오만에서
벗어나지 못한 거라면,
Can't help falling in love….

집에 안 가요?
어머니.

아버지가
보고 싶어요.
…….

선택을 하거라.
자신의 의지로
생각할 수 있는
나이이니까.
여기 남겠니,
날 따라오겠니?
……
알겠다.
어머니!
어머니!
나 혼자 버려두고
가지 마요!!!
하윤이 데려가요,
어머니!

어른이 되어도 이해하기 힘든 말이다.
당신의 눈 속엔 내가 들어 있지 않아.
자신의 의지라고….
여섯 살이면
엄마 품에서 어리광 부려도
좋은 나이다.
변덕 많은 철부지,
아직은 세상의 무서운 것이
더 많을 때….
줄에 대한 절박함 앞에
저울질할 시간 따윈 없다.

단 한 번도—
다정히 쓰다듬어준 기억 없는 손이
내 미련의 벽을 쌓았다.

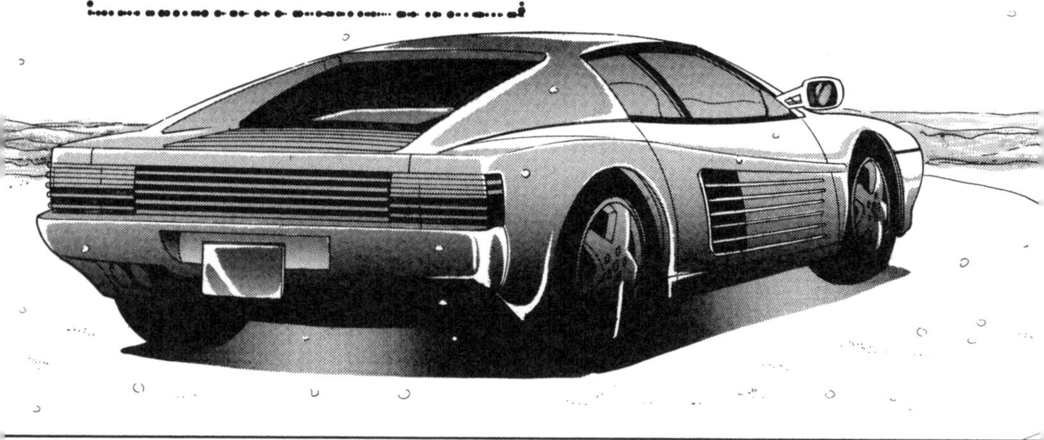

당신에게 매달리는 게 아니었다.
그렇게 따라나서는 게 아니었다.

허상과 현실을 구별할 수 있을 때까지
유보해야 할 것이었다.

선택이라고 말했는가….

당신의 지적 허영심은
상대적 통제가 없다.
당신은 날 속인 거다.

당신에게 난,
언젠가는 무뎌져
떼어 내버려도 아프지 않은
마른 상처의 껍질이다.
그리고…
더 참을 수 없는 건
아직도 날
속이고 있다는 거다.

안녕~!
첫눈이에요!
잘 돼가요, 리메이크 앨범? 믹스다운을 많이 했다면서요? 정성들인 만큼 기대돼요.
녹음은 오늘 새벽에 끝났어요.
BLUE

하윤이 못 봤냐?
어떻게 된 거야?
그게
첫눈 보다가
갑자기….

…….

개띠도 아닌 게
뛰쳐나가더니
안 들어오네.
몇 시간 됐어.

도서실 열기
자연 스팀인데요!
4학년은 취업 전선
비상이니 그렇다 치고
넌 뭐 그리 바쁘냐?

그럴 리가요~.
보수공사
필요해서요.
이번 학기
불어 강독
망쳤거든요.
아!
공부 안 하면
입에 가시가 돋는
형이던가?

넌 고딩 때도
공부벌레였지?
불쌍한 놈….
그랬으면
이 고생이겠어요?
양아치 바람
잘못 들이지 마라.
내가 널
사랑하는
이유는…,

순결하기 때문이니까,
저 먼저 갈게쇼!

겨울 특강 씨네 프렌치 듣지 그래?
전공 살림 보태고 펑크 땜질도 하고. 유럽 본토에서 유명 강사까지 날아온다더라.
…왜 저래?
예! 예!..

빠앙!
미안합니다. 교수실이 어디입니까?
예, 정문 쪽으로 가다가 좌회전 한 번 하시구요.
기숙사 끝동에서 다시 좌회전 하시면 조소과 건물이 보일 겁니다.
좀 더 자세히 설명해주실 수 있습니까?
사실 이곳이 첫 방문이어서 표지판만으로 건물 구별이 쉽지 않군요.
그 옆 벽돌관이 바로….

그럼 제가 안내해 드릴까요?
이런…, 바로 근처를 헤맸었군요.
예, 하지만 학교 지리를 모르면 쉽지 않을 수 있는 위치입니다.
고마워요, 여기까지 안내해주어서. 차라도 한잔 대접을….
아닙니다, 이만….
탁
아….
…….

—3권에서 계속—

LEE EUN HYE SPECIAL EDITION

BLUE 2

2024년 5월 25일 초판 1쇄 발행

저자 이은혜

발행인 정동훈
편집인 여영아
편집책임 최유성
편집 양정희 김지용 김혜정 조은별
디자인 디자인플러스

발행처 (주)학산문화사
등록 1995년 7월 1일
등록번호 제3-632호
주소 서울특별시 동작구 상도로 282 학산빌딩
편집부 02-828-8988, 8836
마케팅 02-828-8986

ISBN 979-11-411-3207-1 (07650)
ISBN 979-11-411-3205-7 (세트)

값 16,500원